劉福春・李怡 主編

# 民國文學珍稀文獻集成

## 第四輯

## 新詩舊集影印叢編 第129冊

### 【丁丁卷】

# 戀歌（中國近代戀歌集）

上海：泰東圖書局 1926 年 9 月出版

丁丁、曹雪松 編

### 【周靈均卷】

# 紫絹記

上海：創造社出版部代發行，1927 年 3 月 15 日初版

周靈均 著

花木蘭文化事業有限公司

國家圖書館出版品預行編目資料

戀歌（中國近代戀歌集）／丁丁、曹雪松 編　紫絹記／周靈均 著

-- 初版 -- 新北市：花木蘭文化事業有限公司，2023〔民112〕

130 面／136 面；19×26 公分

（民國文學珍稀文獻集成・第四輯・新詩舊集影印叢編　第129冊）

ISBN 978-626-344-144-6（全套：精裝）

831.8　　　　　　　　　　　　　　　　　111021633

ISBN-978-626-344-144-6

9 786263 441446

民國文學珍稀文獻集成 ・ 第四輯 ・ 新詩舊集影印叢編（121-160 冊）
第 129 冊

# 戀歌（中國近代戀歌集）
# 紫絹記

著　　者　丁丁、曹雪松 編／周靈均
主　　編　劉福春、李怡
企　　劃　四川大學中國詩歌研究院
　　　　　四川大學大文學學派
總 編 輯　杜潔祥
副總編輯　楊嘉樂
編輯主任　許郁翎
編　　輯　張雅淋、潘玟靜　美術編輯　陳逸婷
出　　版　花木蘭文化事業有限公司
發 行 人　高小娟
聯絡地址　235 新北市中和區中安街七二號十三樓
　　　　　電話：02-2923-1455／傳真：02-2923-1452
網　　址　http://www.huamulan.tw 信箱 service@huamulans.com
印　　刷　普羅文化出版廣告事業
初　　版　2023 年 3 月
定　　價　第四輯 121-160 冊（精裝）新台幣 100,000 元　　版權所有・請勿翻印

# 戀歌
## （中國近代戀歌集）

丁丁、曹雪松 編

泰東圖書局（上海）一九二六年九月出版。原書三十二開。

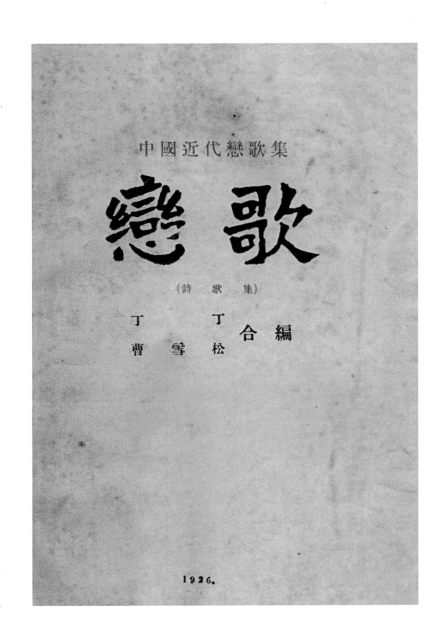

中國近代戀歌集

# 戀歌

(詩　歌　集)

丁　丁
曹　雪　松　合　編

1926.

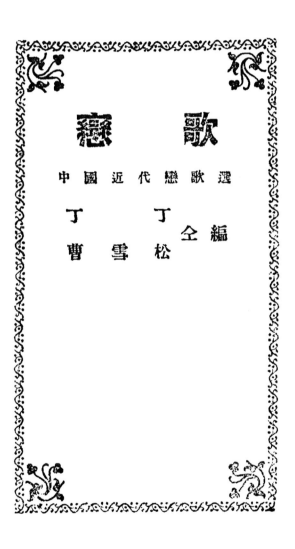

戀　歌

中國近代戀歌選

丁　丁
仝　編
曹雪松

戀　　歌　　　　　　　1

# 戀歌

## 目　次

## 戀　　歌　　　　3

戀　　歌　　　　　　1

# 序

　　戀歌在文學上所佔的重要地位，用不着我
們在這篇短短的序言裏多說。現在我們所要講
的，是爲什麼要編這部中國近代戀歌。

　　我們選輯這部書，有下面的兩個理由：

　　1，我們承認：近年來中國文壇上的戀歌，
已較新興時寂寞多了，雖然將來能從枯枝裏萌
出新嫩的芽來，而依舊能劃出一個極盛的時
期；但自有戀歌以來，至今似乎已可告一小小
的段落——這個段落，我們可名之曰初期的戀
歌。我們在這初期的戀歌中，似有把在水平線
以上眞眞有文藝價值的整理出來，彙編成冊，

### 3 戀 歌

使今後的人們，知道中國青年近年對於愛的傾向和愛的要求。

2,關於戀歌的彙編，坊間本已有幾部出版；但我們對這幾部書多有不滿意的地方，他們所選輯的，似乎只是有限的幾份報章雜誌上所謂名人的作品，許多無名作家的有眞正愛的生命的戀歌都沒有注意到；并且，書中還參加些外國的譯詩在內，不足以稱純粹的中國近代戀歌，更不足以代表中國戀歌全部的作品。

根據以上的兩個理由，所以我們有選輯這部中國近代戀歌的必要。

親愛的讀者呀，你們現在感到愛之愉快，還是感到生的悲哀？是安居在美麗的愛的宮殿

戀　　歌　　　3

中，還是沈溺在汪汪的愁苦的深淵裏？你們，
假使是愉快地在愛的宮中呀，那末，就請你們
在芸窗畫眉之餘，把這本書作爲一杯溫嫩馨香
的葡萄酒，當春芳紛飛的花朝，當銀光遍撒的
月夕，並肩聯臂蜜蜜地飲着唹着吧！你們，假
使是排棄在愛園門外而沉溺在愁苦的深淵裏
呀，那末，就請你們在陰風淒淒的黃昏裏，在
涼雨濛濛的曉光中，把這薄薄的一本小冊子，
當作相泣相慰的蜜侶吧！

　　　　　　　　　一五，三，二五·

丁丁
雪松　于上海大學·

## 4　　　戀　歌

> 愛之女神是咱們親愛的慈母，
> 愛之樂園是咱們溫柔的故鄉，
> 年青的朋友們，莫再尋找——
> 祇有愛，
> 　　就是人生之意義與價值．
> 　　　　　——丁。丁——

# 戀　　歌

戀　　歌　　1

# 花兒開過了

閔一多

花兒開過了，果子結完了；

一春底香雨被一夏底驕陽炙乾了，

一夏底榮華被一秋底饞風掃盡了。

如今敗葉枯枝，便是你的餘剩了。


天寒風緊，凍啞了我的心琴；

我慣唱的頌歌如今竟唱不成。

但是，且莫傷心，我的愛，

琴弦雖不鳴了，音樂依然在。


只要靈魂不滅，記憶不死，縱使你的榮華

## 2　戀　歌

永逝（這原是沒有的事）
我敢說那已消的春夢底餘痕，·
還永遠是你我的生命底生命！

況且永繼的榮華頃刻的凋落——
兩兩相形，又算得了些什麼？
今冬底假眠，也不過是明春底
更烈的生命所必需的休息。

所以不怕花殘，果爛，葉敗，枝空，
那縝密的愛底根網總沒一刻放鬆；
他總是絆着，抓着，緻着我的心，
要他抽盡我的生命供給你的生命！

戀　　歌　　8

愛啊！上帝不曾因青春底暫退，

就要將這個世界一齊搗毀，

我也不曾因你的花兒暫謝，

就敢失望，想另想一朵來代他！

# 涙　歌

梁宗岱

既然我的眼涙是流不盡的，

悲哀，又怎能靠我的涙珠洗的淨呢？

要是想真的洗淨我的悲哀，

除非待我的涙兒流乾了呵！


你把你的紅玫瑰花贈給我，

一會兒又把伊奪去了。

## 4　　　　　　　　戀　歌

愛情要是因閒話而可以消失的，

我又何用這愛情爲呢？


一瓣一瓣的，你插在我胸前的玫瑰花，

如今，也由枯萎而消散了。

但我仍願把伊謝了的蕊兒

緊緊的向我胸前壓着。


你雖毅然的舍棄我，

我却不忍舍棄你

你光榮，我就暗地裏歡喜，

憂愁呢；我也暗地裏爲你悲傷呵！


人人都說你是不道德的，

戀　　歌　　　　5

但我終肯原諒你的罪過。

要是你依舊愛我呵，

我的心淚就自然的由快樂之泉湧出來了。


你既毅然的舍棄我

怎麼還把你的秋波不時的柔注我呢？

像你那樣軟射柔注

我全身的神經眞不禁顫慄了啊！


近來你無心聽講，

總無精打彩的把筆在桌上亂畫。

有時我偷覷你，呵！原來是——

　『我光榮的女郎・曾經是我所愛的，那兒

去了呢？』

6　　　　　　戀　歌

『我光榮的女郎，曾經是我所愛的，那兒
去了呢？』

這是你常唱的詩句，無足怪的。

但是，你胸中也有了幽怨了麼？

還是為我抒寫我的憂鬱呢？


把美目來柔盼我，把微笑來美讚我，

不是你從前所以待我的麼？

可是，現在呢，美目他顧了；

你美讚的微笑又那兒去了呢？


怕是因，——倘不是閒話——你娘的嚴
命，罷？

## 戀　　歌　　　　7

這是我常常在心裏自解的。

可是，我終不敢相信我猜的中呵！

因為，我想，真情人必不因外力而移動呵！


他們都這樣勸我——

教我不必為你而悲傷了

因為你已掉頭不顧我了

雖死又有甚麼益處呢？


但是，我呵，全能的上帝！

我又怎能這樣忍心呢？

雖然是痛苦，

我也情願把我的心淚灌遍全身呵！

8　　　　　戀　歌

——二二，四，一二．

# 白　玫　瑰

郭　沫　若

我的花雕酒已經嗑了半分，

她的白玫瑰也接了幾次芳唇

她甘願和我交換酒杯，

啊！我們在酒杯邊上親吻！


白玫瑰喲，你生命的靈漿，

你在同一的杯中分潤了我倆的肝腸。

炎炎的烈燄在我胸中燃燒，

你可留有刺痕在她心上？

## 戀　歌　　　9

她嗑了我的花雕酒罷，
闊好聲息後裊裊輕歌。
啊！我真尊榮絕頂了，
那當她還要流盼顧我！

上海是萬惡的魔宮，
姑娘喲，你是淨魔的天使，
我的孤影兒顯在你的眼中，
我好像安坐在埃甸園裏。

你在花箋上寫些甚麼？
你原來寫的是一首和歌，
你畫的那個蓬蓬的面首呀，
可不便是我麼？我？

10　　　　　　　戀　歌

姑娘呀，把你的歌兒給我罷！

她豎着指尖兒在我掌上一打——

我永遠忘不了的呀，

啊！你這珍貴的一打！

# 失戀後

徐　雉

我把我那亂絲般的愛情，

緻密地織在這朵憔悴的花上；

將他封在信裏寄給你，

使你見了牠，好像見我一樣。


牠雖因沒人供養而萎謝了，

## 戀　　歌　　11

却還是裊裊地吐着清香；

我雖因失戀而絕望了，

但我愛你還是和從前一樣。


姑娘，你莫問我近況怎樣；

我是憔悴得和這朵花一樣；

若是你見了牠會哭，

就請你流淚在花兒上。


花兒得了你眼淚的滋潤，

枯槁的牠也許有復活的一天；

只是這個被棄的我，

幾時纔能重受你的愛戀？

# 我　的　心

汪　靜　之

我的心變成一只曲調，

拿去送給一位女郎，

在花的早晨或月亮底下，

請伊隨意地歌唱。


唱出一個浩蕩的天空，

碧沉沉地無邊無際，

豪爽的風吹着輕快的雲，

飄來蕩去南北東西。


唱出一個渺茫的海洋，

戀　　歌　　13
~~~~~~~~~~~~~~~~~~~~~~~~~~~~~~~~~~~

非常深又非常廣闊，

壯勇的浪濤滾滾騰騰，

任性地奔放跳躍。


唱出一個茂盛的花園，

奇花異卉鮮豔無比，

都爭着興高采烈的開放，

非常香又非常美麗。


但是伊歌唱到如今，

仍舊是不曾知道——

不曾知道原是我的心兒，

變成了那只奇妙的曲調。

14　　　　　戀　歌

# 吻之三部曲

劉夢葦

## (一)

幾年來對於人生哲學之探討，

意義與價值終沒有結論可尋；

但見得一剎那一剎那的時間逃跑，

一個個一個個的生命在後面緊跟！


時間是如此地如此地難留，

生命是如此地如此地不久●

我底愛人，我底愛人喲！

我們要怎樣才不算虛度？

## 戀　歌　15

入生既是一刹那一刹那地過去，

在個中你我可不要隨意地辜負；

但只要一刹那中有一個親吻，

生之意義與價值呀——已經尋出＼

　　　　（二）

休追念過去的不幸，

休遠慮將來的前程；

得過一刹那且過一刹那，

得接吻時且趕快地接吻！


休忘想到生後的虛榮，

且在生前即時地狂吻；

生之日不管死之年哪，

我們的口是專為接吻而生！

16                  戀        歌

生命底久暫且不用去管，

可不要把你我底接吻間斷；

如果這刹那全消費在接吻中，

雖是一刹那呀——勝似萬年！

（三）

吻罷，愛人，親親地吻！

莫待到我已死時欲吻無人；

趁我底牙關還未緊閉之前，

你舌頭還可在我口中出進！


我底愛人，我底愛人喲！

吻罷，深深地吻！

接吻而外，何處尋新的生命？

不辜負入生時只除是狂吻！


莫計算生命過了多少剎那？

祇問你一生接了多少熱吻？

生到死的距離之中我們底接吻未停，

只有一剎那的壽命呀——也是永生！

# 與一個理想的她

### 蔣　光　赤

昨夜裏將你夢見

在那無名的詩境的花園裏；

那花兒眞芬芳呵！

是你的香氣？

那鳥兒眞歡叫呵！

18　　　　　　　　　戀　歌

是你的妙語？

你把我的心靈浸得沉醉了，

我傾臥在你的溫懷裏。

哎！我是如何歡欣而榮幸啊！

你證實了詩人的想像是眞的。


我愛！每一個詩人都愛美，

你的美更令詩人神飛而心醉。

但是美是變動的啊，

我愛你却永無涯際。

我愛你，我永遠地愛你，

我將我的心靈貢獻給你，

我將一切所有的交給你；

我只要你給我詞，給我愛，

戀　　歌　　　　19

給我蜜吻，給我安慰。


我愛！你為甚這般瘋狂地愛我呢？

為着我的財富？為着我的貌美？

不是，那財富是贓物，

那美又是時常變動的，

你愛我那是為着這個呢？

你愛我，你瘋狂地愛我，

因為我是詩人，你是司文藝的女神。


當我疲倦於革命的歌吹時，

我要飲溫情的綠酒，

我愛，你替我斟注啊！

當我沉悶於人生的煩勞時，

## 20 戀 歌

我要聽芳琴的細奏，

我愛！你給我低彈了啊！

飲了綠酒，

聽了細奏，

我又不得不高唱人生，

在那革命的怒潮中飛舞。


我愛！你靜聽啊！

你聽了我倆的心房內

跳彈着什麼人生的音節？——

世界上沒有什麼比雪還白，

世界上沒有什麼比我們的愛情還潔；

我們的結盟永不破裂，

我們生命的流泉永不乾竭。

戀　歌　　　21
～～～～～～～～～～～～～～～～～～～～～

一九二四，一，三〇·

# 不拘什麼

### 冷玲女士

我願望寫一首很長的抒情詩，

或者竟是一首沒有字的詩，

總之，不拘什麼。

我把它書在青青的桐葉上，

用玫瑰色似的鮮紅的血·

我雙手高高擎着，

擎在我面頰的旁邊，

我溫婺的吻着，

頻頻的吻着，

我愛情的熱力，

22　　　　　　　　戀　歌

使它永久不會磨滅了。

在美麗的春天，

楊柳輕盈的擺動伊的身體，

小鳥們都歡呼了。

我神秘的把我那頻頻吻着的葉子放在小溪

中，

這清瑩漣漪的溪水，它是要經 過 愛 人 的

門前；

我低低的囑咐：

『不要誤了我的期待，

我忠實的小溪，

一定要完成你的使命，

送到愛人的手裏，

使他狂喜而且驚詫，

他歡樂的淚今將滴在你的面上。」

「我懂得了，

忠實的小溪，

你傳給我的信息，

我懂得了！」

他定要高聲的這樣喊着。

『我很願意寫一首長的抒情詩，

或者竟是一首沒有字的詩，

總之，不拘什麼？』

　　　　　　一九二三，五，二。

# 贈

梁　實　秋

## 24　　　　　戀　歌

我想在你卷髮滂着的額上，

栽下一顆熱烈的接吻，

但是再想啊，唉！我不該再想！——

又怕熱烈的接吻燒毀了你的靈魂！


人們說我的情田生了莠草，

人們說我的愛流溢了良田；

我年菁的女郎！可曾和道：

我只是渴望着你，於今一年！


眼角裏水似的螢晶，

永遠是我浴沐着的大海！

總是溫熱，永不冰凝，

融不了我悲哀的重載！

戀　歌　26

我年青的女郎，這不是失望；

且看取，黃昏緊縈着破曉！

讓我們平行的愛，繼續添長，

終由上帝綰成一個結套！

# 就在這樣的夜裏

#### 瀹 女 士

就在這樣的夜裏，

月瘦如眉，

星光歷亂，

一切喧囂的聲音，

都被摒在別個世界了。

就在這樣的夜裏，

26　　　　　　戀　　　歌

我們相攙扶着，

一會忙立在社稷壇的西側，

一會散步在小河邊的老柏樹下，

踏碎了柏子，

驚醒了宿鴉，

聽得河冰夜裂的聲音。

就在這樣的夜裏，

我們相擁抱着，

說了平日含羞不敢說的話，

拌了嘴，

又陪了罪，

更深深的了解了彼此的心際。

戀　　歌　　**27**

就在這樣的夜裏，

我們回想到初次見面的情況，

說着想着，

最後是相視而笑了。


愛的神祕，

夜的神祕，

這時節並在一起！

# 幽　　懷

倪貽德

清輝默默的夏夜，

我獨坐在池旁。

流螢明滅，

28　　　　　　　　戀　　歌

睡蓮徐吐幽芳，

晚飆吹得我亂髮娑娑，

月光映着我的孤影傍徨。


啊！你嬌美多情的月兒喲！

你幽嫻聖潔的光輝，

今夜可曾照到了彼方？

那兒有連山的環抱，

那兒有潮波的盪漾，

——我愛人兒甜密的故鄉！


啊，遙想那今夕的彼方，

定有幽人兒在對月神傷。

她那盈盈欲淚的眼波，

戀　　歌　　29

或許也在對着縹緲的遠方悵望？


或許是在嘆美好的青春，

隨年華而消亡？

或許是爲着目前的不樂，

與未來的命運而悲傷？


她曾說紅顏已在鏡裏消瘦，

她曾說華髮已在梳邊凋喪。

她是多愁而失望。

自然的美景，

與現世的歡暢，

都在她枯乾了的眼底消亡。

30　　　　　　　　戀　　歌

啊！我有時也想去跪在她的裙邊，

把我的相思苦痛和她重頭數遍。

我有時也想如睏倦了的嬰孩，

好教我多年的眼淚，

在她的胸前灌溉灌溉。


但關山隔了重重，

江水又一片渺茫，

只徒使我興嘆而惆悵。

我又不能如那遨遊雲間的鳥雀，

乘揚長的悲風而飛往。


到如今地隔千里，

人在兩方；

戀　　歌　　31

～～～～～～～～～～～～～～～～～～

在如此幻美的夏夜之中，

我只是孤冷地獨坐池旁，

對了這皎皎的清輝，

徒臨風而懷想。

# 海邊的夢

周靈均

獨自一個人兒在海邊踽踽的徘徊，

遙遙的看那海天一角斑爛的霞綵，

使我悠然想到我的情人現在那兒在？

若有所待？——

爲何她也不到這兒來？

於是痴立在海邊許多時，

在沙灘上寫了無數的想思字。

## 82    戀　歌

或者我與我的情人在海邊散步，

步兒的徐徐，低低的私語，

同來同去，——

偶回首看雙雙的腳印一步一趨，

則我們當忘不了來時的路，

於是緩緩的唱一曲海邊的戀詞，

拍着手相歌相和、

我在此海邊不可以久留，

我與我的情人緊緊地手攜着手，

天長地久，——

一跳跳入海心，我們的死屍已腐朽，

於是將這兩棵心同攣星一起掛在天上，

放射着人間偉大的愛的光芒。

夕陽已沉沉的向西方落下，

這黃昏的美，美到不可描畫，

飄泊天涯，——

我遙望那海天一角是我家，

在這時候若有戀戀難捨，

於是想到我的情人，還記得昔時曾携手

處，如今敎我向誰訴相思苦？苦！

# 歌　女

馮至

夢見一個歌女，

抱着琵琶歌唱；

## 84　　　　　戀　　歌

她的哀怨之音，

睡在四條弦上。


烏黑的頭髮，

烘托出憂鬱的面貌；

身着雪白衣裳，

雙頰微微若笑。


盡是些浪漫的歌詞，

她的歌聲靡靡：

好像窗外雨正淒淒，

兒女對燈啼泣！


最後我忍不住了。

戀　　歌　　　　85

倒在她的懷裏，

握住她的手兒，

她再也唱不下去。


她滴下一顆淚珠，

滴在我的口內；

我鄭重地把牠嚥下，

說不出的辛酸滋味！

二三，四，二.

# 我那時早已是你的了

沙　鷗

當我們輕輕地踏在桑影上，

一片銀白色的池水，

36　　　　　　戀　　歌

在桑林外，閃閃地發光，

你扶着一根柔枝，

我默默的笠在你旁邊，

我們不期的眼光溜着時，

愛人！我那時早巳是你的了！


當我們迎着微風，

立在海塢上吸清醇的稻香，

更放眼到遠村的煙樹，

樹叢中瀉着一縷江水。

江水上流着幾翼風帆；

寒風吹着你打顫，

我很担心的摸你的手時，

你却朝我一笑：

## 戀　歌　　37

愛人！我那時早已是你的了！


當你微現着倦態，

倚在我身上，

在扶你上城牆時，

我們同坐在一塊石墩上，

你倒入我的懷中，

看浮在銀光中的天上流雲的飄飄盪；

你把手帕掩着面，

我求你莫睡着了，

我就抓你的脅渦，

你笑得在我身上打滾時；

愛人！我那時早已是你的了！

88　　　　　戀　　歌

# 心上的寫眞

劉　大　白

從低吟裏，

短歌離了伊底兩脣，

飛行到我底耳際；

但耳際不曾休止，

畢竟顫動了我底心弦。


從瞥見裡，

微笑辭了伊底雙頰，

飛行到我底眼底；

但眼底不曾停留，

畢竟閃動了我底心鏡。

戀　　歌　　89

心弦上短歌之聲底寫眞，

常常從掩耳時重奏了；

心鏡上微笑之影底寫眞，

常常從合眼時重現了。

一九二二，三，二．

# 醉　了

盧冀野

恍惚我誦着太白的詩章，

柳陰下痛飲葡萄酒漿。

我忽然醉了！醉到烏有之鄉，

抛却舊皮囊，高處自飛翔！

好像心愛的人兒那時就來偎我。

## 40　　　　　戀　歌

可憐她心事差它，傳出盈盈眼波；

『哥哥；到今天我們也有了解脫』！

她悄悄覷着我，向我這般說。


恍惚我那時便擁抱了我的心愛，

禁不住放情狂吻，放情狂吻！

駢首試桃腮，慇懃一就朱脣。

一切一切合體了，啊啊，我和她已更

生！

好像我倆比翼着，正在比翼飛翔；

不知怎麼就醒了！醒了依然這樣：

愛人兒去得遠遠，更不見有什麼他鄉。

在我手裏，只不過太白詩章和葡萄酒

觥！

# 獻給你了

胡夢華

在靜寂寂的月光之下，

羞答答的不怕人知道，

我拋開他們一切的羨妬和嘲笑，

從心坎裏摘了這朵花獻給你。


你呢，看牠半開得「花苞欲放」，

就把牠收了。

倘若你想到「落葉成陰」的辰光，

就應該把牠珍寶似的留着，

——不然呢，應該就把牠泥土般棄掉。

## 42　　　　　　戀　　歌

不要笑笑把牠一旁擱下，

不要玩玩隨便把牠丟了，

愛人呀，愛人，

藏住你的輕薄和敷衍的賞鑑罷，

這不是任人遊覽的園中花！

這是栽在浪漫人心田裡的，

　　　血浸着牠，

　　　淚灌着牠，

浪漫血淚結晶的花。


你要麼，就請收下。

插在你心愛的紫白瓶中，

慇懃的用心露養着牠。

看他日發出新鮮嫩葩，

同賞我們必愛的花。


不要麼，

就請把花苞打開，

把花瓣一片片撕碎，

撕到淚晶晶的花心，

再一脚把牠踏壞。


感謝你護惜花情，

也不怨你摧殘了牠；

於今花兒是献給你了，

你要怎漾就怎樣罷。


# 夜

夢葦

## 44　　　　　　　戀　　歌

呵，我的愛人！

我們應該感謝呀——

感謝夜的恩惠，

置我們在薔薇的樂園裡了。


我愛！誰曾料到

幾年來的薔薇之夢，

終遇着這麼溫柔的一夜——

這個夢之實現的一夜呀！


薔薇的美麗的花，

薔薇的溫柔的香；

電燈，月兒似地照着，

『這不是夢呀』！電燈告我。

## 戀　　歌　　45

用我們的腿兒手兒，

緊緊地雙雙擁抱呀！

貼着——貼着我們的軀體；

讓被褥不知道是一個還是兩個。


深入的甜蜜的接吻，

我們底口已成了一個圓瓶；

我們底兩葉舌頭，

金漁似的在裏面遊泳。


不管你有沒有肺癆，

只顧把你口中的愛的甘露喝飽；

就其中有多少微蟲寄生，

怎經得我們底愛烈燄狂燒？

46　　　　　　戀　歌

雖說是早餐已盛，

豈肯捨這被兒裏的溫柔？

愛之甘露飲得既醉且飽，

尚何需于麵包來滋養吾生？


郵差在門外敲門；

我們且緊管接吻；

我愛！我所要的你都給我了，

我還要什麼人間的書信？

# 春

徐　志　摩

河水在夕照裏緩流，

暮露膠抹樹幹樹頭；

蚱猛飛，蚱蜢戲吻草光光，

我在春草裏看看走走。


蚱蜢匐伏在錢花胸前，

錢花羞得不住的搖頭，

草裏忽伸出支藕嫩的手，

將孟浪的跳蟲攔腰緊摟。


金花荣，銀花荣，星星瀾瀾，

點綴着天然溫暖的青氈，

青氈上青年的情耦，

情意膠膠，情話啾啾。

## 48 戀 歌

我點頭微笑南向前走，

觀賞這春透青透的園囿，

樹盡交柯草，也駢偶，

到處是繾綣是綢繆。

雀兒在人前猥盼囈語，

人在草處心歡面赧，

我羨慕他們的雙雙對對，

有誰羨我孤獨的徘徊？

孤獨的徘徊，

我心源何嘗不熱奮震顫，

答應這青春的呼喚，

燃點着希望燦燦，

春呀，你在我懷抱中也！

# 一 封 信

## 劉延陵

神聖的鳥兒。

人間理想的伴侶：

恕我這些無因而來的言語，

像飛絮一般來沾惹你的衣履。


我是一雙南飛的小鳥，

因爲在你暫時棲息的城裏， 也曾暫時徬

徨，

所以在落日秋風之裏，

就曾兩次看見你的翠羽明光。

50　　　　　　　　戀　　歌

神聖的鳥兒呀，

你不像鳳凰那樣冠冕喬皇；

但是，但是在我的心裏，

你終是我們的女王。


你也不像孔雀，

有那套仙女的璀璨的衣裳；

但是，但是你那明月般的白潔，

却教我何時能忘？


你應記得，我曾在你們之前唱晰過一遍。

這雖是一支平凡的歌調；

但是流入了你的清潔的耳裏，

戀　　歌　　51

就好比女兒家到了所歡的懷裏——終身
有靠。


而我也曾特地去看你歌舞。

你也應記得，

那時有許多姑娘花朵般聚着，

那是一個星期日的下午。


你的嘹亮的聲音，

如黃鶯兒之響遏行雲。

而素雅的粧束，

又好比披的白鶴的衣襟。


當時歷落的掌聲如雷轟與冰澌，

52 戀 歌

我則癡癡的像把魂靈兒失掉：

我前面一座白玉的女神，

瑩潔的光彩鎮壓住了我的心竅。


我們的眼光幾次相對，

你也深深地看了我幾回。

惟有我的眼珠兒呀，那好比一雙姊妹星忽

然失去了自轉，

吸住了，被日球的奇異的光輝。


當時你不過認識：

『這就是前朝到會的那個客人。』

而我則幾次迴環自問：

『究竟幾時才能當面稱呼你「密司」一

戀　　歌　　　　53

聲？」

　　啊，我究竟將來能不能喚到你一聲密司而
和你話個短長？

　　但道路是這般漫漫：
　　我和你已經隔了長江！


　　但倘若竟有一日，
　　我能夠喚你一聲密司而話個短長，
　　我又不知在我的眼裏
　　這個世界將變成怎樣。


　　我也知道
　　你已經披過新娘的冰綃；
　　但是，這薄薄的一層紗兒，

54 　　　　　　　戀　　歌

覺覺得我們生命的奧妙……

而且我誠虔地祈禱，

祈著你鑒諒我的微忱：

我所希望的是朋友的玉手，

不是情人的甜密的櫻唇。


假設我是一隻南飛的燕子，

而現在正是杏花時節；

那末，我到了南方，

歃將常寄些花瓣兒來祝你安逸。


但現在江北的秋光

正是一望金碧，

你能不能趁南來的鴻雁，

## 戀　歌　　55

先寄我一片紅葉？


江北的秋光

現在正是一望金碧，

你能不能趁南來的鴻雁

先寄我一片紅葉？


恕我不曾把姓字明講。

但你一定知道我是誰人，如果你仔細思量

而且尋尋我的馬跡，

更可知道我到了那方。


青天的印象是終古深深在海，

我所希望的紅葉究竟來與不來？

56　　　　　　戀　　歌

這個問題將令我寐痛難忘，

這個問題將令我永日徘徊。


我所一必要得的朋友，

現在讓我結束這封鄭重的書信。

我祝你：康健如天之水，

　　　　聰明如水晶之精。

尤其願你記取：

惟有流動的生命才有瀲灩的光輝，

而上帝對於他的活潑的兒女

也始終惟有以笑容相對……

# 哀　歌

王　獨　清

戀　　歌　　　　　57

唉！我願到野地，

　去掘一深坑，

　預備我休息，

　不願再偷生！

我設想，若是我短命死後，

那廢路邊定有一座濕墓，

在亂草裏孤立地掩着我的瘦骨。


我設想，那時正是悲愁的秋季，

冷風從病林內向外號吹，

可憐的落葉便把我墓來繞圍。

## 58　　　　　戀　　歌

照得我長眠處是一片的荒涼。

我設想，那沉靜中忽響着寂寞的步音，
由遠方小徑上來了我底愛人，
她還是舊日的容髮，還是舊日的衣裙。

我設想，只是她較舊日更是羸怯，
她又急急地前行不肯少歇，
那不曾勞慣的脚兒像是在一步一跌。

我設想，她纔走到了我底墓前，
便迅速地跪下，全身振顫，
那些積累的落葉就做了她底拜毡。

## 戀　歌　　　59

我設想，她用她蒼白的兩手，

掩住她底臉兒哽咽啼哭，

她底雙肩隨着她委曲地呼吸而起伏。


我設想，她那悽惋的哀音，

被冷風捉着向遍野傳送，

月兒也像驚訝地吐出了更慘淡的光明。


我設想，不久她便因傷感過度而疲憊，

呼吸漸漸地閉塞沈低，

最後是倒了下去，唇兒親着我墓上的新泥。


我設想，不久她底口兒逐睡，

只有月兒在吻着她底淚頰，

(6) 戀 歌

冷風在解散着她蓬鬆的鬢髮。

我設想，就這樣又到了晝色復回，

她還睡在我底墓側，為落葉護蓋：

從此她便伴着那個土堆，再也沒有醒來…

我！我顧到野地，

去掘一深坑，

預備我休息，

不願再偷生！

# 高 原 夜 語

李 金 髮

"Lass dich, geliebte,

uicht reun, dass du

戀　歌　　　61

wir so schuell dch

ergeben… ……… ."

Goethe

當一切煩囂稍靜寂之候，

我們面色益形蒼白，

（但口裏還挾着笑，）

心的擺度形倉亂，

怕夜色張皇，

空間變成孤伶。


停了，心的琴，

話兒也少了，

惟殘照之餘光

徘徊在你指環上●

〔二〕　　　　　　戀曲

他給你什麼忠告，
我爲你若干愛憐？

可怖的夜之陰險，
益覺冀實而沈重，
我們須得逃遁麼？
但願守侯到晨光齊來，
如同看你盟誓之變遷。
亦不消心靈去解釋。

海風嘶喊着，
欲求我們心靈之軍
去防禦時間的電鑿，
迨我們談笑一二陣，

遂忘了這滲淡的要求，

是以任其週而復始。


吓！我們多愛淡紫之黑影，

徐徐地遷動而陰險，

如兩心不可思議之祕密。

若有月兒牛升，

村莊頓成銀白之箪，

更何須睡眠去恢復倦態。


我多慣摩挲你尖銳之指頭，——

呵，創造世界之利器，——

Coresse裏同時操了運命之機倔。

願從此攫取這可惱之心去，

## 64　　　　　　戀　歌

早晚裏觀察其斷續之氣息，

或能尋得殘暴與忠實之裁判。


欲在你半闔之眼裏，

伸說我們之僥倖，

但你僅用半祕之睌視，

我遂明白『Plustard』。

縱靈兒插翼，

只能任稀弱之橋上徘徊●


不慣緊抱的臂裏，

我已傳到你肌膚之餘煖，

不可信之吻的芳香與忠告●

正銷融心頭之宿怨；

## 戀　　歌　　65

況裙裾褶的迷離，

給微風多少翩翩之舞。


你指點遠處些流螢，

用星光比我們之生命，

但雲兒向不認識之空氣飛跑，

如我們青春之無定的飄蕩。

更有松兒在山後狂笑，

正倩黑夜去戰抖我們細小之心。


在這海浪似的淺草裏，

有多少蜥蜴與蚯蚓盤踞着。

正如人在城圈裏匍匐。

但他們能隨景去歌哭，

66 戀 歌

不像我們空爲時間誘惑了，

張手向Fennesse狂奔。


儘有這遠樹平原和高丘之瀑布，

若不與你同賞玩，

他們於我是枯死的；

誠因以孩童之愛給了他們，

一溜烟便銷散以去，

卽微鳴的蟲聲亦不再到耳際！


年月之軍飛跑着，

願意地帶我們之 Aveuir 前來，

縱光耀如晨曦，頹黑如陰雨，

我們都怕與他想見，

## 戀　　歌　　67

因『明年今日』之不足信，

如同你多淚之眼的可疑。


星光漸漸稀少了，

或朦朧如新婦之面幕，

四圍夜氣之冰冷，

欲肅殺萬物鼾睡之聲息，

惟汩汩的流泉低唱着，

喚我們循河徐步。


我們無估價的生命之泉，

亦如他們無休止地在夜裏工作，

值到一個山谷之爐處，

便留戀着花草之叢，

68　　　　　　　戀　　歌

但年日之軍飛跑着，

願意地帶我們之 Aveuir 前來。


陰靈在遠處嬉笑，

似欲渡空谷前來，

你無意撫慰我戰慄之心。

但沈思着如孀婦，

以是我們比肩傍着，

一切空間的顫音全憑我們心之節奏。


我的心厭倦了一切榮譽，

賞賜，追求，羨慕與虛僞，

惟願你冰冷之手，

在我掌心裏片刻變成溫煖；

戀　　歌　　　　69

炎夏裏向海潮洗刷哀怨，

金秋裏愛柳梢之鳴蟬。


但我每感到生命如此孤獨而短促，

便欲求你－個說明，

長林的Nymplae何時休歇跳躍，

飢餓之殼畢竟化作天堂，

萬頭鑽動之人們

終不擾亂我們情愛之溫睡？


可以已矣！縱我的詩筆，

無力使你靈兒發亮，

但你每以『大』『小』來做我的形容，

遂覺完了一切描寫之工。

況我們談話時，

口裏還挾點笑！

# 青　春　詠

### 昧　辛

哦！這可愛的青春，

柳絮兒漫舞輕揚；

桃花兒嬌睡未醒；

燕子翩翩而飛鳴，

燃燒起年輕人的春心。


長城，長夢里，

城坡上綠草如茵；

天上的雲霞燦爛，

## 戀　歌　　71

天矯的鷹隼，

在太空裏盤繞飛巡。

愛人啊！我和你躺在如茵草上，

情話殷殷，

讓慈母的太陽，

下照着我倆的兩顆紅心。


泰山高萬尋，

蓊鬱的松木深深；

野花兒輕盈展笑；

蒼石上苔色靑靑；

愛人啊！我和你互倚着千尋老樹，

聽着風聲，

讓蒼蒼山色，

72　　　　　　　　戀　歌

透染了我儞的衣襟。


大海闊無邊，

猛浪裏巨魚以飛艇，

鷗鳥在水面上盤旋。

愛人啊！我和你長風破萬里浪；

甲板上遙指篷帆點點，

讓緋紅的斜陽照來，

把連肩雙影深深地鑲在水面。

可愛的青春啊，

遲遲的走着罷，

打扮你自己像一隻美麗的鷗兒，

讓年青的人們，

在青春的湖裏優遊蕩漾。

戀　歌　73

# 懷

### 梁　實　秋

間隔了七天，

消融了一場漫天的大雪；

手上的溫存，

却還一些兒也沒有消滅。


只是心頭的圖畫，

嵌得更深了，

深——深——深——

嵌破了悲哀重載的心！


『我恨見你，你悔生我；

宇宙的缺憾，只是為了「你」「我」！』

## 74　　　　戀　歌

二十年前的我們，

在空虛縹渺的家鄉

不曾咀咒過黑闇，

不曾艷羨着生命之光——

我們兩個一夥。


葉兒黃了，

早就不該綠；

葉兒綠，

不該贏得行人一顧！


愛人啊！

要敲我的心，就敲他粉碎，

淡淡的空間

沒有淺紅色的希望，

更沒有灰白色的懺悔！

愛人啊！

別要忘我！

# 懺　情　歌

徐　雄

任絢縵的春花開又謝，

　　任漠漠的秋雲聚或散，

從今後將見我古井般的心，

　　永遠不再起波瀾。


雖有美女如茶；

　　雖有美女如雲；

76　　　　　　　戀　　歌

從今後將永遠不為她們，

　　開我孤寂的心門。


誓不再醉愛情之酒，

　　誓不再受愛神的引誘；

也誓不再寫詩讚美戀愛，

　　寧願從此埋沒我的詩才！


唉！那里有什麼愛？

　　更那里有什麼情？

不過是快樂的反面，痛苦的別名！

　　聽！一聲梵鐘，把我驚醒。


難道只有美人兒可親？

戀　　歌　　　　　**77**

難道兄弟們不是人？

『來呀！讓大家牽着手兒罷！

我愛你們！我愛你們！』


也不必受落寞，

　　也不必嘆此身太孤獨；

天上自有明月來相照，

　　更有星星們伴我們寂寥。


姑娘！你莫用明眸睞我，

　　也莫用琴心挑我；

你美妙的歌聲，只能

　　引起我煩悶，使我壓憎！

78　　　　　戀　　歌

看呀！野花們正在狂笑不沐；

　　搖曳的香草也在招手；

祇是這荒涼的園中，

　　已沒有蜜蜂的遊飛！

　　　　　　一九二三，七，二五．

# 迷離的幻影

倪　貽　德

愛人喲！我們這一對可憐的運命，

好像河海中的兩片浮萍，

暫時給微風吹聚了，

誰料又被無情的狂濤飄分！


七月的星空是浩渺無垠，

## 戀　歌　　　79

我遙望着天漢的銀河倍覺無限悵悵。

那梳人靈魂的秋風輕輕，

輕輕吹起了我心坎中迷離的幻影。


幻影迷離時在我的心頭孤棲，

我猶覺得你的倩影喲在我身旁偎依；

你芳脣徐吐餘音呢呢，

彷彿還低低地在我耳邊依稀。


啊！夢一般的歡聚，

為甚匆匆如白駒過隙？

是誰是作弄了我們，欺凌了我們，

他將我們歡樂的光陰流逝了，從此不再回

程。

80　　　　　　　　戀　　歌

到如今只有這迷離的幻影，

時來我的身旁依依溫存，

如像那鳥語花香的春光之中，

白髮的老人在想起他的少年時分。


但時間的惡魔還不肯放鬆我的呢，愛人！

到將來你做了別家人的時候，

就是這迷離的幻影喲，

也要漸漸在我冰化了的胸前消盡！

# 歌

朱　　湘

在芽發的春天，

## 戀　　歌　　　　81

我想挐一套衣送憐，

衣上要挑紅豆，

還要挑翠羽的雙鴛——

　　但等繡成功衣裳，

　　已經過去了春光。


在綠肥的夏天，

我想折一枝荷贈憐，

因爲我們的情，

同藕絲一樣的纏綿——

　　誰曉得蓮子的心

　　嘗到口這般苦辛？


在果熟的秋天，

## 82　　　　懇　　歌

我想攀下月來給憐，

代替她的明鏡

映照她如月的容顏——

　　但是我不能奮飛，

　　只得有空手而歸。


如今到了冬天，

我一物還不曾送憐

只餘老了的心，

像殘爐明滅白灰間，

　　被一陣冰冷的風，

　　撲滅得無影無蹤！


# 死

## 戀　歌　82

閒　一　多

啊！我的靈魂的靈魂！

我的生命的生命，

我一生底失敗，一生底虧欠，

如今要都在你身上補足追償，

但是我有什麼

可以求於你的呢？


讓我淹死在你眼睛底汪波裏！

讓我燒死在你心房底鎔鑪裏！

讓我醉死在你音樂底瓊醪裏！

讓我悶死在你呼吸底馥郁裏！


不然，就讓你的尊嚴羞死我！

## 84　　　　　戀　歌

讓你的酷冷凍死我！

讓你那無情的牙齒齩死我！

讓那寡恩的毒劍螫死我！


你若賞給我快樂，

我就快樂死了；

你若賜給我痛苦，

我也痛苦死了；

死是我對你唯一要求，

死是我對你無匕的貢獻。


在這樣的途中，

使我不能忘記：

## 戀　　歌　　　　　8?

我忘不了她那光澤的雲髮，

更忘不了他那晶瑩的玉齒。

因為我的網膜之上，

猶有顯麗的痕跡。


我忘不了她那清揚的歌聲，

更忘不了她那溫柔的言語。

因為我的鼓膜之上，

猶有音波振起。


我忘不了她那雍容的品性，

更忘不了她那和雅的舉止。

因為我的腦袋之中，

尚滿盛着甜蜜欣喜。

86　　　　　　　燈　歌

我忘不了她那豐嫩的乳頭，

更忘不了她那海綿體的舌尖。

因為我的兩顎當中，

猶有芬醇之氣。


我忘不了她那雪玉般的膚肉，

更忘不了她那白鵝似的柔腿。

因為我的腰痕之內，

還留着纖薄的微跡。


我戴着太陽的榮光，

漫遊菲莽的大地。

在這樣的途中，

戀　　歌　　　87

使我不能忘記！

二二，五，六．

# 流　雲

宗　白　華

## 一

我們並立天河下。

人間已落沉睡裏，

天上的雙星，

映在我們的兩心裏，

我們握着手，看着天，不語。

一個神秘的微顫，

經過我們兩心深處。

## 二

88　　　　　戀　　歌

我走到園中，

放一朵憔悴的花在她的手上，

我說，『這是我的心，你取了罷！』

她戰慄的手，握着花，

清淚滴滿花瓣，

如同朝露。

我低着聲說：

『你看我的心，她有了生意了！』

三

月落時，

我的心花謝了，

一瓣一瓣的清香，

化成她夢中的蝴蝶。

# 失戀後贈情敵

## 戀　歌　89

### 徐　煋

她把給我的愛情收回了，

又轉給我的情敵——便是你——

還怪我對她沒情義；

現在勝利的金冠已戴在你頭上，

祗餘失戀的悲哀，埋在我心裏！

　　唉！我只有一個希望——只有一個—

　　希望着還能和她見面握過手，

　　再在她手背上輕輕地吻一下；

　　諒她總該允許我罷，這小小的要求！


我要把我心裏的悲哀，

統統裝在一隻瓶裏，

## 90　　　　戀　　歌

然後密封着口兒，沈到海底；

怕只怕，那沒情的海風，

會故意把牠吹浮到水面！

　　唉！我只有一個希望——只有一個—

　　希望着還能和她見面握過手，

　　再在她手背上輕輕地吻一下；

　　諒她總該允許我罷，這小小的要求！


　　情敵！——恕我這樣稱呼你——

我如今把愛她的心交給你，

從今後請你加倍愛她，

一半爲我，一半爲你自己，

更祝你們倆的愛情永遠不變！

　　唉！我只有一個希望——只有一個—

希望着還能和她見面握過手，

再在她手背上輕輕地吻一下；

諒她總該允許我罷，這小小的要求！


也無須哀號，也無須悲啼，

且揩乾眼淚，把心兒重行收起。

已往的事，譬如那曇花一現。

就使我能閉着眼喊一聲：『夫人，我愛

你！』

但這句話能不能吹到她的耳邊？

唉！我只有一個希望——只有一個一

希望着還能和她見面握過手，

再在她手背上輕輕地吻一下；

諒她總該允許我罷，這小小的要求！

## 92　　　戀　　歌

　　請你告訴她——不，我應該稱夫人——

告訴她：我以後不會把她忘記。

雖然她的身子將嫁給你，

雖然我和她也許不得再見，

却終不能禁止我把她嵌在心裏！

　　唉！我只有一個希望——只有一個·

　　希望着還能和她見面握過手，

　　再在她手背上輕輕地吻一下；

　　諒她總該允許我罷，這小小的要求！


　　活着旣沒趣，尋死又不成，

我如今但願害一場大病——

害病而死了　倒也干凈！

再不然，便讓我鎮日裏做夢，

　　——日的夢，夜的夢——永遠不醒！

唉！我只有一個希望——只有一個——

希望着還能和她見面握過手，

再在她手背上輕輕地吻一下，

諒她總該允許我罷，這小小的要求！


　　且關好窗戶把竹簾垂下，

不要讓明月透進碧紗；

窗前的花，任牠開或落，也無心管牠。

不是不愛光，也不是不愛花，

祇為的是她已不愛我了！

　　唉！我只有一個希望——只有一個——

希望着還能和她見面握過手，

## 94　　　　　　戀　　歌

再在她手背上輕輕地吻一下；
　諒她總該允許我罷，這小小的要求！


我的心猶如酒杯，她的愛情便是美酒。
心杯中原裝滿着愛情之酒；
誰知道我自己還沒有上口，
倒先被別人搶去享受，
含淚看心杯，早已空無所有！
　唉！我只有一個希望──只有一個──
　希望還能和她見面握過手，
　再在她手背上輕輕地吻一下；
　諒她總該允許我罷，這小小的要求！


驀地裏，她微笑地向我說道：

## 戀　　歌　　95

『少年！不論怎樣，我總和你好，

那個人兒，我遲早要和他絕交。』
誰曉得，眼兒一睜，原來還是一塲夢！
呀！假使我能常常做這樣的夢倒也好。

　　唉！我只一個希望——只有一個——

希望着還能和她見面握過手，

再在她手背上輕輕地吻一下；

諒她總該允許我罷，這小小的要求！


　　重檢讀她的情書，不禁淚落如麻！

且一齊燒成紙灰，和淚吞下；

倘若有一朝紙灰能復燃呀，

請她把我那深藏着愛情的

白熱的心腸也燒成灰兒罷！

96　　　　　戀　歌

唉！我只有一個希望　—只有一個一

希望着還能和她見面握過手，

再在她手背上輕輕地吻一下；

諒她總該允許我罷，這小小的要求！

# 答贈絲帕的女郎

### 梁　實　秋

吾愛！

你遺我的絲帕，

已又析成絲——

絲絲的將我縬着！


芳澤，

柔膩，

## 戀　歌　　　　97

全憑縷縷的絲端尋着！

愛情的使者，——

絲帕！


那斑斕的痕迹，

是我的淚痕

還是你的？

早片片的綜錯膠合了，

又何須辨識！


吾愛！

我要寄囘你的絲帕，

讓他滿載着香膩，囘來，

重新把我的唇兒溫過！

## 98　　　　　戀　歌

我的心啊！

若終於哇的一聲嘔出，

這塊絲帕，

便是你的棺槨！


帕上怎有這般香氣

沁入鼻脾？

不是花香，

不是露香，

是吾愛遺下的呼息。

靈魂脫離軀壳的時候，

我願裹在帕裏

鑽在絲紋的隙縫裏！

戀　　歌　　99

吾愛！

絲帕是一個彩瓷的花盆罷，

生滿了朶朶的淚花；

絲帕又是殘花的空蒂，

我去取了口口的香吻；

絲怕又是春蠶的繭啊，

蛹便是我的心！

吾愛！

# 創後的慰安

胡　夢　華

跌壞我的身上，

印在你的心上，

## 100　　　　戀　　歌

姑娘啊，姑娘，

盤意轉覺我難安。


素白的藥水，

我把牠當作心汁搾了，

纏綿的絲絨，

我用紅線把她扎了。


藥汁從創處透到心坎，

藥香，心香。——

但願素白的心汁，

永浸着夢裏的春光。


絲絨綑在心上，縛着心腸，

戀　　歌　　101
~~~~~~~~~~~~~~~~~~~~~~~~~~~~~~~~

絲長，思長。——

但願纏綿的絲絨，

永包着夢裏的春光。


惟君興致最濃豪，

嫵媚笑語堪解嘲；

飄飄若仙女臨凡，

美人景足爲湖色增光。

# 憶　起

### 雅風女士

颯颯蕭蕭凄凉的微音，

西風輕輕從白楊傳來；

一片萎黃的草地上，

## 102　　　　　戀　　歌

孤悶的我緩步徘徊。


哦！我這柔弱的心靈，

怎禁對那慘淡的月輝？

流水低低地恨吟怨訴，

激勁我心底無限悲哀！


憶起在紫籐棚下，

手握着手兒相舞，

如今匆匆地別已半載，

迢迢地路隔八百又多。


昨宵在夢裏夢見，

一般的消瘦如我，

戀　　歌　　103

哦！恨不能生出翅膀，

飛回去把心事從頭細訴！


落葉裏檢起秋意，

索性把來敲我心琴；

顧西風快快東送，

這斷斷續續的哀音。


經起我縷縷的情絲，

緯進我片片的魂靈；

願在夢裏把它寄去，

去填滿他淒涼的空心！


西風輕輕從白楊傳來，

104　　　　戀　　歌

颯颯蕭蕭淒涼的微音；

怎禁對那慘淡的月明，

哦！我這柔弱的心靈！


# 墓 地 之 歌

顧 澤 培

只料你是貪賞玫瑰花的美麗而不醒！

只料你是依戀玫瑰之夢而不醒！

卻誰知你的血已給玫瑰花飲盡！

現在我能認識你的只在你手骨上我的握手

之痕！


我彎下了我的腰，接着玫瑰花的吻，

你那肌絲裏散出的芳潔的遺香，

由玫瑰花的心房裏，直刺我心而流淚了！

親愛的！我的愉快和你同逝了！


怎樣取歸我的愉快？

親愛的！我的愉快握在你手裏，

但是我却要往何處來尋你？

我知你的精靈已脫離了那架枯骨！


綽約的花影裏，我彷彿看見你了！

清幽的花香裏，我似乎聞到你了！

脆梗的葉聲裏，我好像聽得你了！

但我幾次爲要留住你而拋下的愛情却停在

玫瑰花上！

我不希望取歸我的愉快了，在我生前，親愛的！

我祇希望我的生命快些緯上時間的經線裏捲去！

讓我早些踏進死之源，在你手裏取歸我的愉快！

但親愛的！告訴我：我死了可能尋見你？

## 空虛的心瓶

丁　丁

我捧着我空虛的心瓶，

走進了那深山的森林；

美鳥在枝頭吱吱歡唱，

戀　　歌　　107

但清脆的歌聲裝不進，

　　裝不進我空虛的心瓶。


我捧着我空虛的心瓶，

走到了那渺茫的海濱；

浪花在海面翩翩飛跑，

但美麗的浪花裝不進

　　裝不進我空虛的心瓶。


我捧着我空虛的心瓶，

走進了那擁擠的人羣；

來來往往着許多美人，

但勿論是誰都裝不進

　　裝不進我空虛的心瓶。

108　　　　　　戀　　歌

我捧着我空虛的心瓶，

走到了一座花園的後門；

一縷如泣如訴的琴音，

從那綉閣裏低低傳來，

　　終於裝滿了我空虛的心瓶。


自從那如泣如訴的琴音，

裝進了我空虛的心瓶；

不久開出一朵美麗的鮮花，

我便把我的血淚灌溉殷勤；

　　從此再不空虛我的心瓶。

　　　　　　一二，四，於上海大學·

## 湖　　濱

## 戀　　歌　　109

### 曹　雪　松

白雲淡淡地在天邊逍遙，

落葉輕輕地在湖面飛飄，

幾株消瘦的紅蓼，

低頭默默靜悄悄。


哦！何處來的一陣清脆的歌聲，

絲絲縷縷地從紅蓼花中曲折地飛进？

不知是雕梁畫棟上的紫燕喃喃，

還是碧柳深處的歌鶯噁噁？


去年今日，啊，去年今日呀！

彷彿也是在這個清幽的湖濱，

110 戀 歌

彷彿也是在這個薄暮的時分，

我曾與那人兒在這里漫聲低吟！


輕微的湖風挾着悠悠的詩情，

飛吻在湖岸上叢密的林葉裏，

發出清婉的纖纖艷艷的響聲，

聲聲像是在歡賀我們綺錦的青春！


但是，而今呢，往事都成夢影，

已逝的觀樂也永不再臨！

唯有當時剩餘的哀音，

尚繚繞在我的耳際隱隱！


啊啊，你這繚繞在我耳際的哀音呀！

戀　　歌　　　　111

逍遙的白雲也能散離，

飛飄的落葉也能消除；

但你却爲何終于依戀我而不去？

版權所有

戀歌

定價三角　郵費三分

中華民國十五年九月出版

著述者　曹雪丁松

發行者　趙南公

印刷者　泰東圖書局

總發行所　泰東圖書局

總局上海四馬路　分局南京長沙

不許翻印

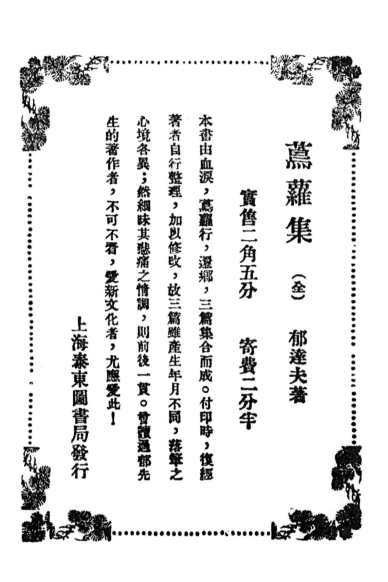

蔦蘿集（全）郁達夫著

實售二角五分　寄費二分半

本書由血淚，蔦蘿行，還鄉，三篇集合而成。付印時，復經
著者自行整理，加以修改，故三篇雖產生年月不同，落筆之
心境各異，然細昧其悲痛之情調，則前後一貫。曾讀過郁先
生的著作者，不可不看，愛新文化者，尤應愛此！

上海泰東圖書局發行

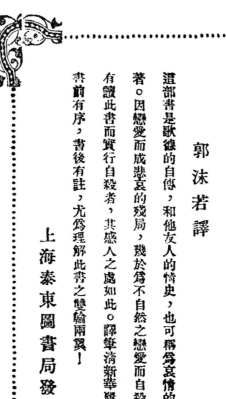

# 少年維特之煩惱　實售四角

## 郭沫若 譯

這部書是歌德的自傳，和他友人的情史，也可稱爲哀情的特著。因戀愛而成悲哀的殘局，幾於爲不自然之戀愛而自殺。有讀此書而實行自殺者，其感人之處如此。譯筆清新華麗，書前有序，書後有註，尤爲理解此書之雙輪兩翼！

## 上海泰東圖書局發行

# 花木蘭文化事業有限公司聲明啓事

　　此次《民國文學珍稀文獻集成》出版，有賴各位作者家屬大力支持，慨然允贈版權，遂使這巨大的文化工程得以開展。本公司全體同仁在此向各位致以誠摯的謝意！

　　由於民國作者人數眾多，年代久遠且戰火頻繁，本公司傾全力尋找，遍訪各地，能夠找到的後人，得其親筆授權者，爲數甚寡。更多的情況是，因作者本人下落不明，連版權情況都無從知曉。

　　因此，本公司鄭重聲明：

　　此叢書所錄專著，凡有在版權期內而未授權者，作者家屬可與本公司聯繫，本公司願奉送相關贈書 50 冊爲報酬，補簽授權協議。

　　望家屬看到此通知後與本公司聯繫。聯繫信箱：hml@vip.163.com

花木蘭文化事業有限公司

# 紫絹記

周靈均 著

周靈均（1900～？），別名周紹鈞，生於江蘇江都。

創造社出版部（上海）代發行，一九二七年三月十五日
初版。原書三十六開。

# 紫 絹 記

# 紫 絹 記

1927.3.15初版

1—2000册

實　價　三　角　五　分

上　海　創　造　社　出　版　部　代　發　行

# 目　次

# 第一齣　似曾相識

## 第一幕　伊人讀書之別院

伊人看書。

伊人妹伊凡上。

**伊凡**　　　（唱）

　　縱然是花開由他，

　　縱然是花落由他。

　　但姊姊呵，

　　將如何愛惜春華？

（1）

將如何鄭重年華，

　　　　（伊人見伊凡來，不看書）

伊凡　　姊姊！（微有笑容）看的甚麼書？真是看
　　　　到勝處了，所以不理我呢。

伊人　　（微笑）那裏，——現時很悶，並沒心思
　　　　看書，不過聊資遣悶而已。

伊凡　　娘要逛公園，叫我來問姊姊去不去。

伊人　　去，甚麼時候去？

伊凡　　現在就去。

伊人　　　　（唱）

　　　　花開恩恩，

　　　　花落恩恩。

　　　　怨彼之人，

　　　　莫怨東風。

　　　　　　（伊人，伊凡同下）（落閉）


　　　　　　（2）

# 第二幕　亂石之前

公園裏有座石假山，亂石磈磈。

秋水伫佇。

秋水　　　　（唱）

一年花事將盡，

引了我無限的愁情，

引了我無限的哀吟。


春呵，你歸去，

將歸於何處？

我欲留春，

但無計留春少住。


青春去，

不我留。

悠悠復悠悠，

（3）

莫使空嘆白了頭。


男兒當有志於四方，

豈肯低首埋沒在草莽？

不與世浮沉，

不隨人俯仰，

當置身於青雲之上。


無人青眼看我，

只是白眼相加。

可惜我的心事亂如麻，

如何都成了虛話？


屈指堪驚，

豪氣消磨是在如今，

壯志消磨是在如今。

（七）

輕歌一曲，

以瀉愁情。

狂歌一曲，

以慰哀心。

（南斗見秋水）

南斗　密司特秋！你是何時來的？

秋水　（驚）哦！密司特南！我來得有一會了。

（秋水倚身石壁）

（南斗立一石上）

南斗　你怎麼一人來此？

秋水　我愛一人出遊。其實，如果沒個相知的
　　　朋友，倒不如一人好。

南斗　此地頗饒清趣，安得二三知友話舊談心？

秋水　唉！（驚）現在的世風，人情，豈還是那
　　　最古的時代！甚麼是朋友，今晚相逢儘

（5）

歡樂，明朝相別是路人了。

南斗　　我也有同感。我問你，你還往他處去麼？

秋水　　我想到桃花塢去。

南斗　　我們就去罷？

秋水　　好！

　　　　　（秋水，南斗同下）（幕閉）


## 第三幕　豔春亭中

　　　　豔春亭在桃花塢左旁，亭後有小河。桃花已

　　　　謝，落紅滿地。

　　　　（南斗，秋水同上。）

南斗　　桃花已謝了！

秋水　　唉！（驚）一年又是殘春！你看！（指點）

　　　　那落紅滿地，那能不使人觸目驚心！

　　　　　（南斗緩步來豔春亭，坐亭中右石磴上。）

秋水　　（凹顧若有所思）

（6）

（唱）

我欲問東風，

誰惜殘紅？

可憐呵，

隨了流水西東，

惹得我癡人恨重，

欲語無從，

欲訴無從；

只是如海水一樣洶湧，

洶湧在我心中。

（伊人，伊凡與其母來桃花塢）

（秋水，南斗見伊人等三人）

秋水　　　（唱）

那美人兒似曾相見；

那麗人兒似曾相見。

遠，遠在天邊；

（7）

近。近在眼前。

惹得我的心兒呵，

心兒懸懸；

惹得我的魂兒呵，

魂兒顛顛。


不是我浪蕩；

不是我輕狂。

是為的那美人兒，

是為的那麗人兒，

那得不胡思亂想？

細細思量：

豈是神仙下降，

示我周行？


欲前行，

（8）

喚卿卿，

又怕她不答應，

反惱了我多情。

　　　　（伊人等三人繞桃花塢）

伊凡　娘！夕陽欲西下了，我們可以回去罷？

伊人　可以回去了。

伊母　好！回去罷。

　　　　（伊人等三人同下）

　　　　（伊人將淺紫色的手絹兒拭鼻後，未放好衣袋

　　　　內，遺落地上，不知`

秋水　空想望，

何時握手兒相迎？


若說沒奇緣，

今兒如何遇着她？

她？她！

　　　　　**（9）**

不驕誇，

不浮華，

是耶？非耶？

住在天家？

南斗　剛走的那兩個女郎，你認識麼？

秋水　似曾相識，老實的說罷，那身材高一些的，便是伊人，我傾慕已非一日了！自怨緣慳，未能表示傾慕之忱。啊！（驚）那，（指點）那裏是手絹兒麼？（秋水去撿手絹兒）（南斗亦隨秋水去）

秋水　（驚喜）這淺紫色的手絹兒真美麗呵。

南斗　密司特秋！我相信和你還有點交情。她們是我家的親戚，我要求你將手絹兒給我再轉還她們，想你是一定答應我的要求的。

秋水　既是你家的親戚，你可以介紹認識麼？

（10）

我當面還給他們好不好？

現在先還給我好不好？

（不答）

（唱）

倘若她對我無情，

那遺落了手絹兒是何居心？

是她暗地裏先留個盟信，

好他日彈譜鳳凰琴。

那美人兒，麗人兒無處尋，

偷偷與手絹兒致殷勤。

彷彿那美人兒，麗人兒，

在我眼前降臨。


你看，她臉兒嬌羞；

性兒溫柔，

只解相思不解愁，

(11)

誰與致綢繆？

你看，她步兒逗留；

意兒幽悠，

欲囘頭，又不敢囘頭，

若有許多心事欲道無由。


去了——

去了遙遙。

從此後相思夜夜朝朝；

從此後魂夢顛顛倒倒；

從此後心神勞勞忉忉；

從此後形容寂寂寥寥。

‧‧‧‧‧‧‧‧‧‧‧‧‧‧‧‧‧‧‧‧‧‧‧‧‧‧‧

‧‧‧‧‧‧‧‧‧‧‧‧‧‧‧‧‧‧‧‧‧‧‧‧‧‧‧

（幕閉）


(12)

# 第二齣　芳思交加

## 第一幕　秋水臥室

### 時在黃昏

秋水　　（臥在床上，輾轉反側。）

（唱）

我情懷惝恍欲何之？

痴痴呆呆的有何所為？

知也不知？

有所思，

（13）

那人兒是在於斯？

那人兒不在於斯？

我將何處一問之？

將信將疑？

不自持，

如之何慰我相思？

（一躍起來，低步踟躕）

（唱）

那人兒現在那方？

空令我胡思亂想：

是這般模樣？

是那般模樣？

這相思滋味我算初嘗，

如果愛河的星影有光芒，

那我的相思債總可完償。

**(14)**

那愛河星影的光焰萬丈長，

是我的情絲，她的情絲，

一縷縷纏繞我的心腸？

不知何時共那人兒同鴛帳？

不知何時共那人兒相親傍？

費了思量，

費了平章。

秋水　　　（取出手絹兒反覆觀看，傻極欲痴）

　　　　（唱）

我愛她，

她不愛我，

教我如何可？

我想她，

她不想我，

教我如何可？

（15）

或者她也愛我？

或者她也想我？

只因沒有會談過，

如何將心事互相道破？

空有個夢兒來給我做．

可能解相思的枯渴麼？

可能理情絲的煩亂麼？


並不是我自作多情，

誰個人兒不動了心？

雖說姻緣天敎定，

天呵，自初見後想到如今，

可憐見，不得獻個殷勤．

空在夢兒裏苦追尋！

（開窗窺皓月，嘆）

（10）

看天涯的明月明，

看天上燦爛的星星，

有誰好意兒爲我傳書音？

只是長吁短嘆了一聲聲。


一腔心事對誰說？

兩字相思憑誰寄？

只有我慰安我自己，

我自己呵，不知此心在此？

不知此心在彼？

如在夢裏，

如在醉裏，

情何能已？

你？你！

（幕閉）


(17)

## 第二幕　伊人臥室

時在黃昏後

伊人　　　　（唱）

幾度消魂，

多情誰伴黃昏？

寂寞掩重門，

自傷悶損。

紛紛，

難覓同心人！

又是殘春，

暗裏老却了春人！

難問，

誰與溫存？

正傷神，

無計安排黃昏。

（伊凡上，敲門。）

(18)

伊人　　誰呀？（開門）

伊凡　　是我。（入內）剛才王媽來請姊姊晚餐，

　　　　說姊姊頭痛不吃了。娘特地叫來看看姊

　　　　姊的。

伊人　　獨自黃昏，最是惱人！唉！我的心事，

　　　　憑誰知道？

伊凡　　　　（唱）

　　　　姊姊呵，

　　　　你皺看眉，

　　　　若有所思，

　　　　不知所思者誰？

　　　　你低了頭，

　　　　若有所憶，

　　　　不知所憶者誰？

　　　　姊姊呵，

　　　　　　　　　（19）

你的心事，

我或有所知。

並不是我猜疑，

怕有幾分相似？

欲語又遲遲，

豈是遺了手絹兒，

惹了相思？

伊人　（微怒）你說的什麼話！

伊人　（微笑）我是說的玩話。姊姊！何必當了

　　　眞，如此的惱我？

伊人　玩話也罷，不是玩話也罷。（凝想）妹妹！

　　　我眞粗魯，如何將手絹兒遺落了！

伊儿　那天不是也有二表哥在那兒麼？或者給

　　　他檢得了？或者那一位？

伊人　　　（唱）

那年少，

（20）

是個不肯？

令我的心兒焦，

又氣又惱。

手絹兒給他檢得了，

如何是好？


那年少，

不是個不肯：

手絹兒給他檢得了，

無關緊要。

自古多情鍾在絲毫，

有老天知道！

伊凡　（微笑）老天知道了什麼呢？

伊人　（若有所思，默然不答。）

伊凡　姊姊！你現在該覺得餓了，究竟吃不吃
晚飯呢？我好有個話兒回答娘去。

（21）

伊人　　等一會兒再吃罷。

伊凡　　那我就走了，讓姊姊休息一會兒。

　　　　（唱）

心是栖栖惶惶？

意是嫻嫻愴愴？

神是慵慵蕩蕩？

魂是招招悵悵？

夢是渺渺茫茫？

情是迷迷惘惘？

有緣的，千里來相逢，

無緣的，隔了雲山萬萬重。

情之所鍾，

那與一般同？

在不卽不離，

若有若無中。

　　　　（伊凡下）

（22）

伊人　　（意態孄孄，悠悠嘆息）

　　（唱）

　　昨日偶然相會，

　　是情之根？

　　是愛之胎？

　　教我難猜，

　　我心早已不快。

　　現在那兒在？

　　那時來？

　　當訴此耿耿的情懷。


　　那日歸來，

　　何事我心有牽有掛？

　　有關有礙？

　　愁無奈；

　　恨無奈，

（23）

相會將不可再？

一縷柔情何處飛在？

飛在天地外？


是輕愁，愁上眉頭；

是幽恨，恨上心來。

這般情況委實難捱！

眞個是怪；

眞個不解，

因甚相思給我害？

害得不能耐，

行坐起臥，都不自在。


明知是不該，

只相思已驀的上心來。

來時快；

(24)

去時怠，

那得容你安排！

只陶醉了心肺；

糊塗了胸懷，

是如何的無聊賴！

（閉幕）

**(25)**

# 第三齣　相見恨晚

## 第一幕　南斗家之會客室

（會客室佈置頗精雅。）

（王大引伊人上）

王大　（開會客室門）小姐！請稍坐一會兒，我們家二少爺就來。

（王大下）

伊人　（入內）（坐在椅上）

**(26)**

（南斗上）

南斗　（入內）（面有笑容）哦！三表妹！

伊人　（起立）那日在桃花塢是你麼？

南斗　請坐，請坐。是的。我想找你談談，你今日來了正好。

（南斗伊人各坐下）

伊人　（微有笑容）我要問你一句。（不語）

南斗　你不說，我已猜得七八分：你那日在桃花塢不是遺落了手絹兒麼？我那時並不知道。——給我的一位朋友檢得了。那時我告訴他，你們是我的親戚，要求他給我轉還你們，他竟不肯。

伊人　這人為什麼不肯呢？

南斗　（微笑）三表妹！我們表兄妹之間，說話也不要有避諱，最好有什麼話就說什麼話。

（27）

（王大倒茶畢，下）

伊人　　最好有什麼話就說什麼話。

南斗　　這人真是想入非非。他說，他認識你，傾慕已非一日，恨至今未能表示傾慕之忱。──這豈非怪事？

伊人　　（面微紅）這真豈有此理！（許久）他果真如此，那手絹兒更不可不索還呢。

（王大上）

王大　　（入內）（將名片給南斗看）

南斗　　請！（向伊人）檢得你的手絹兒那一位來了。（名片給伊人看）

（王大下）

伊人　　（不安）那我可以告辭了。

南斗　　那也沒有什麼，不妨認識，談談。

（王大引秋水上）

秋水　　（入內）密司特南！

（28）

（南斗，伊人迎立）

〔王大下〕

南斗　密司特秋！——你們還未認識罷？（向伊人）這是密司特秋，是我的朋友。（向秋水）這是密司伊，是我的親戚。請坐，請坐。

（南斗，秋水，伊人各坐下。）

秋水　（唱）

才紹介姓名，

便亂了我的心。

我的心，忐忑不定。

那真是三生有幸，

不辜負了這般多情。


情懷殷殷；

情意深深。

〔29〕

　　　　她口中雖未說分明，

　　　　却早已心心相應，

　　　　脉脉通情。

南斗　密司特秋！現在遺失了手絹兒的主人在

　　　　此，你總可以歸還了罷？

秋水　　　　（唱）

　　　　這手絹兒就算是持贈，

　　　　我自知是不情，

　　　　我自知是不敬，

　　　　但如今——

　　　　恕不能遵依天命。

伊人　　　　（唱）

　　　　又有什麼榮光，

　　　　將我的手絹兒私藏？

　　　　你這人兒浪蕩，

　　　　你這人兒輕狂。

　　　　　　　（30）

不還心已不良，

說我贈你的豈不寃枉？

你這人兒荒唐；

你這人兒謬妄。

秋水　那我豈眞是一個浪蕩，輕狂，荒唐，謬
　　　妄的人麼？我又將向誰訴我的寃枉？密
　　　司伊！今日未帶來，他日定當奉還。

南斗　你說話守不守信用呢？

秋水　怎麼不守信用！

伊人　可是，不守信用的人眞多着呢。

南斗　(向伊人)那日我們遊桃花塢時，見落紅滿
　　　地，爲之悵悵，悵悵而歸。

伊人　　　　　(唱)

初來花塢探春光；

省識花開芬芳；

(31)

重來花塢探春光，
省識花落淒涼。


春光豔麗處處皆堪賞，
教我情懷悠揚，
春光暮老處處不堪賞，
教我情懷惆悵。


花開郁美於枝上，
誰不觀賞？
花落繽紛於地上，
誰為埋葬？


為何花好不長？
那堪想像！
為何春住不長？

(32)

那堪仰望！

秋水　　　　（唱）

辜負了青春，

我是愚人；

抛却了青春，

我是恨人。

初來探春，

覓我意中人；

重來探春，

見我意中人。

我欲送春，

便懷想那人；

我欲留春，

便依戀那人。

（88）

傷春惱春，

是負情人，

愛春惜春，

是多情人。

南斗　（向秋水）誰是你的意中人？

水秋　你何必要知道？

　　　（伊人低首不語）

　　　（秋水若不勝情）

南斗　　　（唱）

她，意已忘憂，

他，神如醉酒。

她，神自優遊，

他，意不外誘。

她，欲語先低下了頭，

他，有話也說不出口。

（34）

她，一顰一笑似乎不自由，

他，一舉一勳似乎已非舊。

此景此情明眼人早已看透，

此情此景有心人各有抱負。


他，情已重，

她，心也動。

他，心已昏懷，

她，情也有鍾。

他，傳情把眼弄，

她，明心把眼送。

他，擠眉情不由衷，

她，展眉心也會通。

此情此心恨不得作雙飛的雌雄，

此心此情恨不得作顚倒的鸞鳳。

仆人　　我還有別的事，不得不先告辭了。（起身）

（35）

（唱）

別有約夕陽時，

別有約夕陽時，

有所不知，

先告辭。

相見會有期，

相見會有期。

　　　　（伊人下）

秋水　　　（唱）

恨相見何難，

恨相見何晚！

這般──

這般恩恩回返，

你縱無一些兒戀婉，

怎教我情何以堪！

（36）

　　　無限——

　　　無限情思繾綣。

　　　怎奈恩恩囘返，

　　　使我意兒嬾；

　　　心兒酸。

　　　一縷情絲割不斷！


　　　如今恩恩囘返，

　　　那堪——

　　　那堪含淚在眼，

　　　猶自強作歡顏。

　　　怎天也不管，

　　　待我情薄豈心甘！

秋水　　我來的時候也很久了，現在也告辭了，

　　　改日再見罷。

南斗　　有機會時請常來指教。

　　　　　　　(37)

秋水　　有機會時當常來領敎。

　　　　（秋水，南斗同下）（幕閉）

(38)

# 第四齣　試結同心

## 第一幕　深深之庭院

院內有幾株梧桐樹。星月窺人，樹影欲動。

時在七夕。

**秋水**　　（唱）

我不能忘她，

又不能離她，

一離了她，

時時，刻刻都想着她，

（39）

教我心如何放得下！

我心裏想她，

恨不得立刻見她，

一見了她，

只是痴痴地對着她，

說不出一句半句知心話。

伊人　　　（唱）

你這番的情愛是不差，

但不知是眞的耶，是假？

我則怕──

則怕你口上說甜蜜話，

心頭是狠毒無以加。

誰個男子不是今日愛你，明日又愛她？

可憐我們的妹妹，姊姊，

（40）

那裏訴得盡這許多薄情的話！

我是個無情者，

任你的情愛真也罷，假也罷。

秋水　　唉！（嘆）連你也不知道我了！我這兩年
　　　　半來對你的情愛，不但付之東流，而且
　　　　還不能得到你的了解，則教我如何的傷
　　　　心！就是你這兩年半來對我的情愛，也
　　　　白白的辜負了！

伊人　　我對於你有什麼情愛？我是個無情者！

秋水　　（微笑）拿一句老話說罷，「人非木石，
　　　　豈能無情。」不過情之一字，不可濫用
　　　　而已。

伊人　　（微點首）一濫用情，這個情就失其真了。

秋水　　　　　　（唱）

　　　相處已兩年又半載，

　　　你還不了解，

（41）

偏說我假情假愛？

冤哉！

我恨不得把一顆心剜出來，

你看看，將如何對待？


我不求你了解，

此身一日在，

對於你總是這般愛。

就是已入黃土內，

魂兒也一日百十遭到你這兒來，

與你相會。

伊人　你真愛錯了人了！我這人性情又不好，

道德又不好，學問又不好，你還愛這個

人幹什麼？「一失足成千古恨，再回頭

已百年身！」你快快的回頭罷。

秋水　　　（唱）

（42）

兩年半前。

記我初見，

不由的意惹情牽。

幾番未得相周旋，

空自縈念！

恨我無緣！

也曾相思難排遣，

也曾消瘦有誰憐？

閒來暗怨：

何處問嬋娟，

致我意纏綿？


幾番悵無由相見，

鎮日價愁眉不展，

恨憮憮。

今幸已將兩載半相周旋。

(43)

每日總來前，

來時步兒何輕便，

相與話綿綿；

去時步兒故遲延，

猶恐意未宣。

尚何言，

似如此痴情誰明辨！

我心已爲情絲緊緊纏，

教從如何斷？

縱窮斷了又相連，

最是纏綿！

我自與你相周旋，

相愛相憐，

常自恨言語淺，

道不出萬重意拳拳。

你不可憐見，

(44)

我從此傷心年年，

難將恨海填。


雖你情已遷，

但我心不可轉：

我心不可卷。

你對我不愛憐，

我縱死在你身前，

也無半句兒怨言。

我自傷命舛：

今世已難全，

來世再結緣。

此心誰見！

只泪流漣漣。

（秋水流淚）

伊人　秋呀！不要傻了！天下事說真就真，說

（45）

假就假、──男兒是多麼慷慨，是多麼
豪雄！秋呀！何必作此態！（凝想）那條
淺紫色的手絹兒此時在你身上麼？（秋水
取出手絹兒給伊人）（伊人取絹兒為秋水拭淚）（伊人
將絹兒還秋水）

秋水　　（收淚）（嘆息）

伊人　　　　（唱）

含淚無言，

手持絹兒心惆惆。

鄭重還與君，

願君收起意慇慇。

　　　　（秋水將絹兒還伊人）

　　　　（伊人不受）

伊人　　　　（唱）

我對你不愛慕，

又何必當初？

　　　　　（46）

我則怕你多情反被無情誤，

好事成虛，

教我何如？

我曾用假言假語試你千百度，

一時又疑慮，

一時又驚愉，

一時又糊塗，

一時又敏悟，

知你與常人殊，

以眞心眞意相許。

我雖頑愚，

豈一點兒情也無？


如今，

你感我知音，

我感你多情。

(47)

天地荒老情不盡；

海石枯爛情不泯。

你且細聽，

聽我將肺腑話訴分明：

從此後你的心，我的心，

同心相結結同心。

生死同命，

患難同膚，

幸福同慶。

何物以誓信？

以絹兒為盟證。

秋水　　　　（唱）

從此後你的心，我的心，

同心相結結同心。

伊人　　（仰首）哦！月兒已當空了！

秋水　　今夕是七夕，是時想牛女相會，情話嗎

(48)

　　　　　　　　唱了。

伊人　　　（微笑）真是嘉會難逢，人間天上。

　　　　　　　（唱）

　　　　　天河無波，

　　　　　看織女渡天河。

　　　　　一刹那，

　　　　　已由天河渡過。

　　　　　與牛郎相會先問郎如何？

　　　　　話不盡相思情多，

　　　　　何以慰蹉跎？


　　　　　韶華去如梭，

　　　　　牛女只一年一會一刹那。

　　　　　平日相隔天河，

　　　　　縱刻骨相思也不得渡天河過，

　　　　　青春空使消磨！

　　　　　　　　（49）

牛女攜手相視淚滂沱，

如何如何？


天上牛女會少離多；

人間你我離少會多。

牛女縱不妬煞了你我，

試問別離滋味又如何？

不堪此意婆娑！

祝牛女努力莫蹉跎；

祝你我努力莫蹉跎。


我唱一曲愛之歌；

你唱一曲愛之歌。

相歌相和，

不把青春空消磨！

天上人間嘉會莫錯過；

**(50)**

人間天上嘉會莫錯過。

悠悠情如何？

（幕閉）

(51)

# 第五齣 別時容易

## 第一幕 亂石之前

公園裏有座石假山，亂石磈硊。

南斗　聽說你們相親相愛，已誓白首之盟了，不知這個消息確否？

秋水　（驚訝）這個消息，你從何處聽來的？

南斗　有些人偏愛管閒事，看見你們如此的相親愛，自是猜疑到這個上頭了。

秋水　我們相交以來，是很光明磊落，這是你

素所知道的。我們本想早把白首之盟的
消息報告你，可是總沒有相當的一個機
會。 而且還有個原因， 就是我們的家
庭，雖然是不難於取得同意，但在未取
得同意之前 ， 似乎不便報告我們的朋
友。

伊凡　二表哥！真好笑，他們也居然的瞞着我
呢。我知道的原因，是他(指秋水)給姊姊
來信。姊姊大意，沒有把信收起來，又
遇到我這個不道德的人，見姊姊不在那
兒，於是做了不道德的事，把信偷看了
後才知道的。

伊人　別再說了，你自家做了不道德的事，還
要告訴二表哥呢。

伊凡　嚇！這個不道德的事不要緊。

南斗　　　(唱)

(53)

我則道他們是疑猜，

誰知你們已盟誓了白首的歡愛？

願你們多向愛神拜幾拜，

謝謝他把你們有情人哥哥妹妹，

配成一對。


你們現在

總算還了相思的債，

那討債的就請他也不再來。

想這時你們把乾坤看得狹隘，

只知道你憐我愛？


或告同儕：

誰不豔羨是天作之配！

祝你們白首同偕；

白首同偕，

(54)

才不枉了道一場的歡愛。

伊凡　　二表哥！我有時提起秋哥哥，姊姊那個

樣兒，彷彿又要打我，又要罵我。

　　（唱）

我不提起他則可，

一提起，姊姊便怒！

說道：他姓甚麼？

叫什麼？

我不知道它，

它不認識我。

我道：也該瞞我？

眞不知道麼？

我就道破，

他是多情的哥哥，

姊姊呵，

(55)

我提起哥哥如何可！

伊人　　妹妹！你眞太會淘氣了。

南斗　　三表妹！你也眞太會多心了！

伊人　　　　（唱）

這個情字不是好惹的！

我自惹了後，

雖道意合情投稱莫逆，

但有時不知何因悽悽慽慽，

泪珠兒常暗流滴？


這個情字不得不犧牲，

雖犧牲不惜，

是很值得，

但看今日與古昔，

有多少有情人得意的！

這個情字我們始終不易，

（56）

更不能污了情的貞白，

這是難於逆料的，

我們的將來，

那美滿怕也很難得？

秋水　你這一套兒又來了。

南斗　誰知三表妹受了一點點的小刺激，就有
　　　這許多支支節節的。

伊人　我並沒有受了什麼刺激。不過誰不希望
　　　美滿？　那希望更切，　就不免支支節節
　　　了。

伊凡　姊姊！這眞是「天下本無事」哩。

秋水　　　（唱）

失意事多，

得意事少。

敎我無端唔惱，

（57）

總寫的是多情懷抱。


我向愛神深深默禱：

天荒地老，

願我們常歡好。

伊人　　　（唱）

有情，無情，

無情，有情，

我而今才識了分定。


多情，薄倖，

薄倖，多情，

我而今才認了分明。

南斗　　　（唱）

這樣的愛葉情苗，

這樣的向人弄嬌，

（58）

　　　　使得你們眞個魂銷，

　　　　願你們把好事兒收拾得早。

伊凡　　　（唱）

　　　　願我的姊姊與哥哥，

　　　　奮志青雲意氣多，

　　　　少不努力奈老何。

　　　　　（伊凡，伊人，秋水，南斗同下）

　　　　　（幕閉）

# 第二幕　深深之庭院

　　　　　院內有幾株梧桐樹。星月窺人，樹影欲動。

伊人　　　（唱）

　　　　好事多磨，

　　　　分散了你我。

　　　　這裏人兒一個，

　　　　那裏人兒一個。

　　　　　　　（59）

還說什麼？

空喚奈何！


我的哥哥，

這是無可如何！

誰說離少會多？

只是會少離多。

傷心呵，

那堪你和我！

伊人　　我和你要分別了，這回相見，恐怕是最

後的一次了！

秋水　　（驚疑）是真的麼？

（唱）

我留你麼？

不留你麼？

左思右想無一可，

(60)

　　　　恨也奈何！


　　　　我們的心是赤裸裸，————
　　　　我不敢敎你不忘我，
　　　　只希望你不忘我，
　　　　可憐的你的哥哥！

伊人　　現在眞是國亡無日了。J國如此的侮辱
　　　　我國家，如此的凌虐我國家，我國實在
　　　　忍無可忍了 。 所以政府昨日開了一個
　　　　議，已決定和中國宣戰，以維持我國獨
　　　　立國的地位與主權。政府現派我的父親
　　　　統率一師生力軍，同 P 君，T 君等所統
　　　　率的軍隊開往 F 地 。 誰不是愛國的志
　　　　士！雖說我的父親先不允我們在軍中服
　　　　務，後來終於允許了，所以我和你要分
　　　　手了。

　　　　　　　　　　(61)

秋水　難道我不是個愛國的男兒！我亦能去，去，爲國犧牲去？

伊人　你的志氣眞高！可是現在是不成的。

秋水　爲什麼？

伊人　沒爲什麼。不過恐怕我的父親不允許罷了。

秋水　那我就投到別的軍中去！

　　　　（唱）

　　那天上的月輪高，

　　照見你我離別在今宵。

　　何事魂兒銷？

　　何事泪兒抛？

　　爲國從戎意氣豪！


　　胸中的塊壘已消，

　　莫再逍遙！

　　　　（62）

要發展愛國的懷抱，

不屈不撓，

死在沙場多光耀？

伊人　我現在的意氣更壯了，可是終有惜別之

情。——我們就暫且告別罷。（與秋水握

手）

　　　　（唱）

我將何求？

不得報國讐。

豈不可羞？

讐不報，誓不休。


生則再聚首，

死則葬荒邱。

今當為國謀，

不必動離憂。

　　　　　　(63)

可憐這回去後，

不知得回頭否？

恐怕不得再回頭，

你我相見也無由。


去去不復留，

今宵分手，

別意兩悠悠，

兩地相思兩地愁。

（伊人，秋水同下）（幕閉）

# 第六齣　誰惹愁來

## 第一幕　暮秋之野

一帶紅楓樹林，清溪流繞。有兩三茅屋人家。

南斗　如此的美境，我們彷彿置身圖畫中了。

秋水　可是，我對於如此的美景，我不知現在
　　　何以不覺到怎樣哩？

南斗　你大概因為她走了，不堪離別的苦罷？

秋水　她走了後，我不知為什麼竟悠悠然的如
　　　在夢中？惘惘然的不能自主，有說不出

(65)

　　　　　　來的惆悵的離情。

南斗　　到底我國人民，心猶未死。——J 國亦
　　　　感於我國非比往日之易於凌侮，故亦不
　　　　敢率爾公然啓釁，遭友邦之非難。現 A
　　　　國，E 國出而調停，我國畢竟是偉大的
　　　　國家，受 A，E 各國之調停，暫行停止
　　　　戰爭上的預備。J 國呢，實已軟化了，照
　　　　這樣的情形看來，大概不至於開戰了。
　　　　戰既不開，她也快回來了。

秋水　　這個時候新聞紙上的消息，怕有點靠不
　　　　住罷！

　　　　　　（唱）

　　　　爲了愛國的慷慨，

　　　　忍心割斷了我們纏綿的愛。

　　　　這豈是冤家不聚在一塊，

　　　　把我們兩個人兒分開？

　　　　　　　（66）

才十日不相會，

如隔了十載。

眼皮兒終夜何曾合？

眉頭兒終朝展不開。

見着人影兒以爲是她在；

聽到脚步兒以爲是她來。

真教我費疑猜，

前生究欠她多少相思債！

如果戰敗，

她是死了不得回來。

我眞後悔，

不得和她死在一塊，

更那得在一塊兒埋？

她縱能了解，

人豈不謂我薄情相待？

(67)

南斗　　你素來不是主張求學不忘愛國的人麼？

　　　　爲何你不和她一同去呢？

秋水　　她恐怕她的父親不允許，只得作罷了。

　　　　我還想到別的地方投軍去，現在大約是

　　　　不得開戰，又只得作罷了。

南斗　　　　（唱）

　　　　兩個寃家，

　　　　拆散了何爲者？

　　　　你在這兒的秋野；

　　　　她在那兒的天涯。

　　　　她心中只有個你；

　　　　你心中只有個她。


　　　　你們柔情勝似嶺頭雲，

　　　　想別淚自多如花上雨？

　　　　如今兩地相處，

　　　　　　（68）

兩地相思苦

你也無所訴；

她也無所語。

秋水　　　　　（摘了一片紅葉）

　　　　　　　（唱）

紅葉多情種，

寄她一片若爲容，

敎她多做幾回相思夢，

相思無路通，

夢也朦朧。


紅葉無處寄多情，

聊憑空望遠寄我心。

我有時無故的淚沾襟，

那遙遙的幽恨豈不難禁？

（69）

有情還有夢，

無夢豈無情，

我終夜思量到天明，

夢兒怎做得成？


真個愁縈胸，

致懊惱也無從。

獨思量人兒千里望成空，

豈冤家不再相逢？

無語立西風。

南斗　　　　（唱）

『蒹葭蒼蒼。

白露爲霜，

所謂伊人，

在水一方。

遡洄從之，

（70）

道阻且長。

遡游從之，

宛在水中央。


『兼葭淒淒，

白露未晞。

所謂伊人，

在水之湄。

遡洄從之，

道阻且躋。

遡游從之，

宛在水中坻。


『兼葭采采，

白露未已。

所謂伊人，

(71)

在水之涘。

遡洄從之，

道阻且右。

遡游從之，

宛在水中沚。」 ——詩經——

（閉幕）

## 第二幕　碧海之邊

伊人　此地距軍中有二里多路呢。

伊凡　沒有罷？——父親不是說不得開戰麼？

我們還是求學要緊。……

伊人　是的，我已對父親說了，過幾日，我們

兩人先囬到學校。

（唱）

無端勾起了相思，

無限相思意，

(72)

教儂如何記？

如何又惹得愁至？

愁時，

眉間心上無計相廻避。

有時夢兒還自疑，

有時淚兒頻頻墜。

待要寫個書兒寄，

怎的把相思二字，

寫了滿紙？

可知書兒難寫心兒事。


是誰惹得愁至，

我將愁還給誰。

誰也不知，

愁總是長相隨，

欲理也無從理起，

(73)

理過了怕還是如此。

敎我這心兒怎得支持，

放在那兒是？

這都爲的相思！

無人識我相思意，

我只得相思死。

**伊凡**　　　（唱）

兩個都牽掛，

他掛着你；

你掛着他。

他恐怕在那兒怒罵，

或在那兒驚訝；

是個無情者，

不把書兒寫？


兩兩不會面，

（74）

消息兩茫然。

待到兩相見，

兩兩更相戀。

伊人　　　　（唱）

我心兒悶，

幾日來已見瘦損。

不堪問，

暗暗流淚有雙痕，

怕人見聞。


我恨滿腔，

清愁怕見影雙雙。

兩相望，

不能忘，

最難將息是昏黃。


(75)

不如意事奈恨何，

但有心人恨偏多。

又是恨它，

又是想它，

人間邪有癡於我？


幾囘暗驚，

怕負了佳盟。

試聽此碧海怒潮聲，

爲我訴離情，

彷彿有淚如傾。

伊凡　　　　（唱）

不多時別情猶濃，

帶幾分愁情更重。

再相逢，

話離衷，

（76）

別有一番滋味在心中。

（幕閉）

〈77〉

# 第七齣　難賦深情

## 第一幕　　海邊歸來的道上

伊人　　這兩日來的消息，更趨於平和了。但是J國是非常的刁頑的，恐非是誠意的屈服罷。

伊凡　　我以為要得真正的平和的保障，非得戰勝了J國不可。

伊人　　如果這次不得戰，我想，我們這一世恐怕不能見到我國戰勝J國了，報J國之

（78）

仇了，這是如何的一件恨事！

（唱）

我藐爾小躬，

又有何用？

今壯氣盈胸，

不報國，將何從？

奮袂從戎，

慷慨誰與同？


他欺我弱庸，

誰不憤氣填胸，

願爲前鋒，

要與他決個雌雄？

那道他不敢與戎，

無從顯出志士勇。


(79)

> 難道戰危兵凶，
>
> 為的報讎自不同。
>
> 恨不得立時戰攻，
>
> 一戰成功，
>
> 致他降從；
>
> 快我心胸。

伊凡　　將來終不免於一戰的。

伊人　　如果我國再不自強起來，那前途就很難
　　　　說了。

伊凡　　我以為從此以後，我國政府與人民都該
　　　　覺悟了罷。──父親預備那日叫我們回
　　　　校呢？

伊人　　父親說再過幾日再說，我心裏很着急，
　　　　功課怕趕不上了。

伊凡　　我也愁功課是趕不上，怎麼是好？秋哥
　　　　哥處你曾經寫信去了麼？

〈80〉

伊人　昨日不是寫信麼？真是千端萬緒，不知從何處寫起？寫了一句，以為不好，撕去了。又寫，又不好，又撕去了。到後來，真個一字也沒寫成，你想，好笑不好笑？

伊凡　我想，不能不寫封信給他罷？

伊人　　　（唱）

欲寫相思，

又遲遲，

是怕人喑相窺，

人豈不謂我痴？

縱有萬語千言難著辭。

待寫時，

不知寫了些什麼字？

又撕了信紙，

不須疑，

（81）

相思只自知，

寫了告訴誰？

落葉飄何之？

我們可憐都如此。

慰我的人兒復有誰？

我心悲，

悲別離。

相見不知在何時？

何時攜手話相思？

我心知，

我雖沒寄封書兒，

但你有心人當不疑，

總該識我相思意。

（幕閉）

(82)

## 第二幕　　他的書齋

秋水　　我自家也莫明其妙，現在我眞個糊塗極
　　　　了。書也嬾得看，課也嬾得上，噯！却
　　　　爲誰來？

　　　　　　（唱）

　　　　我如今課也不上，

　　　　書也不看，

　　　　總是爲她多憂患。

　　　　她待我眞難堪，

　　　　如何不來封書兒通慇款？

　　　　日日望穿了眼，

　　　　豈是失落了鄉關？

　　　　或者她心事嬾嬾，

　　　　嬾得動筆寫相思的無限，

　　　　就寄我空紙我心亦安，

　　　　並當作言語有千千萬。

　　　　　　（83）

相思盡在不言間。


總不見她來書簡，

豈是她近來對我疏遠？

我們要做個義女情男，

莫使不能美滿。

我一想她就心煩，

幾回想寄封書兒問她平安，

但不知寄往何處關山？

無奈的相思又打不斷，

只得將情長情短，

都當作如此這般看，

豈不敎人難堪？

（嘆）她臨別時，曾經囑咐我不可先給她

去信，但她到如今也沒信給我！（凝想）（取

出紫絹兒）啊啊！『不求同年同月同日生，

（84）

只願同年同月同日死。』這兩句寫在紫
絹兒上，墨痕猶咋，可是人兒何在？
(細看紫絹兒) 覺有這許多淚痕，斑斑點點
的。

　　　(唱)

這泪痕點點與斑斑，

抵多少離合悲歡！

明月缺了復團團，

如何人兒一去不回還？

我夜夜望月兒彎彎，

夜夜把人兒掛在心間。


相思來得綏綏，

使我一陣心酸。

那人兒相隔天涯遠，

在夢裏最闌珊，

　　　　(85)

捱不到五更殘，

豈是往日的風流將雲散？

（幕閉）


# 第三幕　　她的書齋

伊人　　（伏在棹上幽幽哭泣）（既而泣止）

　　　　（唱）

我枉自聰敏，

認錯了人！

原來男子總是薄情，

所以我遭此不幸，

重重心事難分明。


阿兄！

你今日薄行，

當初何必多情？

（86）

我想到身世不辰，

在此哭泣聲聲，

有誰個人兒來問？

天涯人遠難親近，

無計把君尋。

想來舊盟，

渺渺無憑。

每顧影，

淒涼只自憐，

有誰個人兒見憫？

（嘆息）罷了，罷了！這段姻緣，怕終於
要成泡影。只是我撫躬自問，我待哥哥
不薄；而哥哥當初，亦口口聲聲說不得
負此佳盟，豈今日心事，不是當初？昨
晚王媽告訴我說，有一軍人新自哥哥的

(87)

故鄉來，聽說哥哥已經訂婚 P 氏，想來
這事總不會假。(嘆息)哥哥，哥哥！你眞
對不起我！(嘆息) 我自聽得這個消息，
好似魂不附體，……我，我的身世眞，
眞不幸……(放聲大哭)

(伊凡在門外竊聽)

(伊凡開門入內)

伊凡　姊姊！姊姊！(伊人不答)姊姊！不必抱悲
觀，哭也無益，不如振作精神來奮鬥。
我已在爹娘面前說過，這事須要從長計
議。他們雖不知道姊姊和秋哥哥這段姻
緣，我們能夠設法使爹娘知道，這事自
然消滅於無形了。

伊人　(止哭)妹妹！你說的話我不明白，你能
詳細的告訴我麼？

伊凡　(作驚訝狀)然則你爲何如此的傷心？

(88)

伊人　昨晚王媽媽了一軍人說秋哥哥已訂婚P
　　　氏了。想到自家的身世不幸，不覺傷心
　　　……

伊凡　秋哥哥絕不是那種負心的男子，但，你
　　　寄去的信，他有信來了麼？

伊人　（嘆息）（作失望狀）男子總是負心的多，你
　　　看，他連信都不回我了！你說的又是什
　　　麼一囘事？

伊凡　哦！你不知道麼？

伊人　不知道。爹娘對於我怎樣？

伊凡　旣不知道，也就算了罷。

伊人　不，不，你一定要告訴我！

伊凡　索性就告訴你罷。前日有個人，不知是
　　　什麼人，來替你說親，爹娘，當時有允
　　　許的意思。——我曾經勸爹娘這事須從
　　　長計議。

（89）

（伊人突然哭起來）

（伊凡也哭起來）（旣而止哭）

伊人　　　（面色如土）

　　　　　（唱）

生死有命，

生則爲情犧牲，

死亦要追尋，

天地無情我有情！

伊凡　　　（唱）

姊姊莫恨，

哥哥不是負心人。

天地不是無情，

總有一日相愛相親。

（幕閉）

（90）

# 第八齣　爲他顯額

## 第一幕　伊人臥室

伊人　　　　（形容顯額）

（唱）

阿爹阿娘，

愛我如前一樣，

姻緣由我主張。

可是我那秋郎，

心有異向，

(91)

辜負了我的心腸。

我一時惘惘恨恨，

萬語千言沒個人講。

落得個地老天荒，

說什麼地久天長！


我待你是個什麼心腸？

你如何辜負我的情長？

我願難償，

你亦必傷。

我思量往事不能忘，

幾番裏思量，

幾番裏悽惘。

為何把情字迷在心上？

到今日分手無依傍，

白白遇了一場！

(92)

我這顛頓的模樣，

總爲的一段情長。

相思心傷，

因成病狀。

你看臉色變了青黃，

瘦得如此誰見諒？

又不能把相思遺忘，

又不能把情字埋葬。

心想愴，

怎不斷人腸？


我受盡悽惶，

爲他病得這樣，

又不好對別人講，

只得暗暗心傷。

(93)

我但願把我待他的心腸，

對他講個詳，

使他從頭細想，

能夠見諒，

就是死也無妨，

拼得一死也不敢相忘。

（嘆息）秋哥哥訂婚Ｐ氏，已經千眞萬確
了，這敎我如何處置自家？（嘆息）到底
還是爹娘愛我，把我的婚事已經擱起；
可是秋哥哥又不知何故負心！我越思越
恨，越恨越愁，越愁越悶，爲他顛頓，
爲他成病，（流淚）自念病已深沉。……
……

王媽　　小姐！不必如此愁悶，還宜保重玉體。
你要知道，你病了好久了，——到床上
來養息養息一會兒罷。

(94)

（伊凡上）

伊人　　是的，我也覺得疲倦了。（躺在床上）

伊凡　　　　（唱）

你心亂紛紛，

有恨難伸，

沒個知音人，

誰能安慰你一陣？

你這般愁悶，

最易把精神瘦損，

我看你又瘦了幾分！


有情無情縂無憑，

難得分明，

說假就假，說眞就眞，

有什麼前因與後因？

姊姊呵，莫迷了本性，

**(95)**

誤了多情。

（王媼下）

伊凡 姊姊！把心放開些，且等病好之後，再
作道理。我想，或者因爲在軍事戒嚴期
內，信件必受檢查，也許輾轉遺失，不
能收到；現在旣然解嚴，秋哥哥旣無回
信，也不必問他。我擬寫信寄與二表兄
，一詢秋哥哥之事，如何？

伊人 　　（唱）

這段姻緣已成空，

恍如一夢。

就是把書兒寄與阿兄，

也不中用，

如何表得我的情衷？

我心頭別是一般痛。

（26）

一別西東，

就不得再相逢。

搔首頻呼天夢夢，

傷心一哭恨重重。

如何表得我的情衷？

我心頭別是一般痛。


人不在眼前走動，

愁却在心裏玲瓏。

似曾相識來入夢，

無可奈何去無踪。

如何表得我的情衷？

我心頭別是一般痛。

（伊母上）

伊母　你今日病好些了嗎？

伊人　請娘放心，再過幾日可以霍然了。

**(97)**

**伊母**　　　（唱）

　　眞個出人意料，

　　你昔日容顏多嬌嬈，

　　今日又黃又疲又枯槁，

　　豈是病所遭？

　　這個病眞蹊蹺，

　　又不寒熱在晝與宵，

　　又不疼痛在胸與腰，

　　只是昏頭暈腦。

　　有時傷感身世的潦倒，

　　若有千萬哀怨難告，

　　若有萬千塊壘難消。

　　你莫要自尋煩惱，

　　什麼話在娘前不可道？


　　眞個教人思疑，

　　　　　　（98）

你爲何病得如此，

如此的支離？

暗地裏探知你心中事，

彷彿有一段情癡，

惹得你終日愁思，

總爲了情一個字？

你有時無故的垂淚，

實不知————

不知你心怨着誰？

你莫要顧忌，

什麼話在娘前不可宣示？

伊人　娘莫要猜疑到這個上頭，孩兒的病實係
　　　受了風寒所致的。

伊母　前日有人提起你的姻事，凡兒背地裏再
　　　四的阻止我要從長計議，她口氣之中，
　　　似乎另有一段姻緣，我們問她，她總不

　　　　　　　(99)

說出。傻孩子，傻到如此，痴孩子，痴到如此！（牛唧）天下有幾個有情人美滿的？天下有幾個男子多情的？（牛响）若你果是這個心病，那就很難說了。

　　（伊人無語，只是嘆息）

伊儿　娘莫要誤會。我以為現在談不到這個事情，所以勸阻，並非別的意思。

伊母　好罷，且由你們罷。

　　（伊母下）

伊人　（嘆息）妹妹！你和娘說了些什麼話哩？本來和秋哥哥這段姻緣是光明磊落的，如今似乎不光明磊落了。

　　（唱）

還記得麼？

那時月照我們兩個，

牛女還妬我們的情多，

（100）

而今是這般結果，

我的哥哥，

你眞對不起我！


還記得麼？

在亭前我們邂逅，

那時你的意兒是如何？

而今是這般結果，

我的哥哥，

你眞對不起我！


還記得麼？

絹兒贈與誰個？

七夕那時淚兒墮，

而今是這般結果，

我的哥哥，

(101)

你真對不起我！

還記得麼？
我們分手無奈何，
那時你好不難過，
而今是這般結果，
我的哥哥，
你真對不起我！

伊凡　姊姊不必如此的癡想呵。我已連寄爾封
　　　信給二表兄了。

伊人　(嘆息)信中說些什麼哩？

伊凡　不過久別問候的俗套話，另外淡淡的轉
　　　詢秋哥哥何以沒有回音。

伊人　(愀然)(嘆息)不提起也罷了，一提起怎不
　　　教人傷心！——三封信，難道都不能收
　　　到？秋哥哥，秋哥哥，你縱負義，也該

(102)

念舊情覆我一信，（嗚嗚咽咽）秋哥哥，秋

哥哥！你縱忘情，也該‥‥（放聲而哭）

伊凡　　姊姊！姊姊！‥‥‥‥

（幕閉）

(103)

# 第九齣　尋尋覓覓

## 第一幕　豔春亭中

時在莫春

南斗　啊，我們多時沒有暢敍了。——多時未
　　　見，不圖你清瘦得如許！

秋水　(嘆息)人人都說我瘦，我眞瘦了麼？我
　　　有時攬鏡自照，也自憐大不如前了。

南斗　你還記得麼？三年前我們在此——

秋水　唉唉，不提起，倒也罷了。一提起——

(104)

那也不能瞞你，伊人一去，至今一點消
息全無。（嘆息）

南斗 （作驚訝狀）怪，她不是寫了三封信給你麼
？

秋水 真怪，怪，我一封也沒有收到呀！

南斗 真的一封也沒有收到麼？難道因檢查信
件，有關於軍事消息，被扣留下去了？

秋水 （驚疑）誰還撒謊！（凝想一會）她有信給你
麼？你的話從何處說起？

南斗 伊凡有信來的。（從衣袋裏拿出兩封信來給秋水）

秋水 　　（看信）（神色倉皇）

　　（唱）

落紅陣陣春將暮，

懷人不見愁無緒。

人去也，

春何處？

（105）

春去也，

人何處？


花開無數，

花落無數。

一年一度，

閒愁最苦！

是真情滿腹難吐，

有誰知我傷心如許！


當初你曾經囑咐：

你先給我來書，

那知這一套兒是誑語！

昨夜夢兒裏模糊，

夢到你我重歡聚，

如何今夜夢也無？

(106)

並未接到片言隻語，

那兒來的這三封書？

這眞是個悶葫蘆！

她說她的病兒苦，

不知爲何病得如許？

豈世間眞只有情難訴！

南斗　你把信看完了沒有？

秋水　哦！還沒有看完，(看信) 啊！

　　　　（唱）

這是沒有的話，

時時刻刻的懸掛，

都是爲着她，

那敢再心猿意馬。

南斗　想必有個原因，不然，這個消息難道是

　　　從天上掉下來的。

　　　　　　（107）

秋水　　　這真是個悶葫蘆了。

南斗　　　她現在已經病了，我猜，恐怕她得了這

　　　　　個消息傷心而病，你將如何呢？

秋水　　　　　（唱）

　　　　　心亂如麻，

　　　　　不知要說什麼話。

　　　　　卽刻離家，

　　　　　去見她，

　　　　　告訴她不是無情者，

　　　　　這個消息是假，

　　　　　好使她放心得下。

南斗　　　你去也好，可是准能見到她麼？

秋水　　　　　（唱）

　　　　　不要把書兒寫，

　　　　　一心一意去見她。

　　　　　路途不熟也不怕，

　　　　　　　　　（103）

言語不通也不怕。

見不到不回家，

甘心飄泊在天涯，

我總不是個無情者！

南斗　　什麼時候去呢？

秋水　　現在就預備去，去去！

　　　　　（秋水下）

　　　　　（幕閉）

# 第二幕　醫院之一室

時在深夜

伊人　　（唱）

男子的薄情莫過於你，

已累得我病床不起，

也知道瘦骨難支，

**不知道能活幾多時？**

（102）

更有誰識我愁情恨意？

情薄過紙，

愁種在相思地，

恨剪不斷情絲，

豈將如此的痴到死！


忘却前恩義，

豈非枉費了心機？

病已將死，

也不想你來扶持。

本來也怪不得你，

你聰明一世，

或者糊塗一時。

但願未斷情絲，

總有重見的日子。


(110)

有誰解我的心事？

我好比春蠶到死還吐絲，

燭炬成灰淚不止。

你，你，

做人做得把舊盟忘記，

無情無義。

所以連信也不理。

可憐我病得如此難支，

你知也不知？

（吐了一口血）

伊凡　姊姊！病得這個樣兒了，還不把心放開
　　　了些！

伊人　妹妹！你不知道我心的難過啊！（流淚）
　　　秋哥哥，你，你，你好！（吐血）

伊凡　我何嘗不知道，現在且把什麼哥哥丟在
　　　半邊，什麼哥哥都比不上身體要緊。

（111）

伊人　　　　（唱）

　　日夜爲你魂牽夢牽，

　　爲你把腸牽斷，

　　總不見你心回意轉，

　　想必是心肝已變，

　　所以也不回言，

　　空有情有義在從前，

　　到頭來還是段假姻緣。


你不見？

　　明月掛在奈何天，

　　天若有情天亦老，

　　月如無恨月長圓，

　　圓在天邊，

　　人比天邊更遠，

　　獨照我憔悴伴我眠。

　　　　　　（112）

　　　　　昨夜夢見，

　　　　　夢見你來到我身前，

　　　　　那樣兒也瘦得可憐，

　　　　　滿腔幽怨，

　　　　　依舊痴纏，

　　　　　生生死死隨我願，'

　　　　　酸酸楚楚無一言。

伊人　　有茶麼？

　　　　　（王嫻送茶）

伊人　　　　（唱）

　　　　　眞使我不堪回首，

　　　　　把相思一筆全鈎，

　　　　　何必爲着情字担愁，

　　　　　須要參透，

　　　　　說什麼前生注就，

　　　　　　　（113）

說什麼連理枝頭，

到頭來有如雲行月走，

好比海市蜃樓，

只落得一夢恨悠悠。


好姻緣都難成就，

只為緣慳福淺枉籌謀，

提起往事如刀割心頭，

今生已相見無由，

若與你前緣未斷情義厚，

也願來世再聚首，

但我心不甘休。

死亦要追求，

問你薄倖你知否？

伊人　　(嘆息)自家也知道命不保朝夕了！妹妹！

請你拿紙筆來。


(114)

伊凡　　幹什麼？

伊人　　自有用處。

　　　　　（伊凡拿紙筆給她）

伊人　　（拿起筆兒寫）

秋哥：

　　分手天涯，重逢不易。客中滋味，酸
　　到心頭；相思滋味，苦到心頭，一苦
　　有萬千哀怨無可與訴者。曾寄三函，
　　未審何時得達？而消息傳來，憊憊成
　　病，病中自念，有情還似無情。一往
　　情痴，相思骨瘦。思君成夢，夢裏難
　　堪，尋尋覓覓，那得相逢？所謂緣慳
　　，非關薄倖。但願情絲未斷，緣結來
　　生。朝夕或離人世，執筆書此，聊表
　　衷情。遺恨在心，天乎天乎！

　　　　　　　　　　　　伊人絕筆

（115）

| | |
|---|---|
| 伊母 | （入內）這寫的什麼？（看信） |
| 伊凡 | （作驚惶狀）沒有什麼！ |
| 伊人 | （心血湧起，暈倒床上） |
| 伊人 | （倉皇失措）（哭起來） |
| | （幕閉） |

(116)

# 第十齣 青山不語

## 第一幕 青山脚下的新墳

伊凡 　（哭）姊姊，一塊黃土，永遠把你埋葬在
　　　這裏了！

伊母 　　　（唱）

　　　只爲的一段痴情，

　　　斷送了你性命，

　　　當初何不向我說分明，

　　　瞞着我是何用心？

（117）

從今後阿娘喚你名

不見你答應，

不見你來臨，

於是把你尋，

無影無形，

泉路茫茫從何處行？

累得你阿娘老淚盈盈。

　　（伊母哭）

伊凡　　　（唱）

天若無情呵，

何以生姊如此聰明？

天若有情呵，

何以好姻緣成泡影？

再不得上課共你行，

再不得你教誨殷勤，

再不得聽你的笑音，

（118）

　　　再不得見你影亭亭，

　　　你眞個長眠不醒？

　　　姊姊呵，喚你一聲，

　　　你可曾得聰？

　　　天公最是妬多情！

　　　　　　（王大上）

王大　　二小姐！有位秋先生，來見大小姐，我
　　　　說她死了，他問我葬在何處；他說也認
　　　　得你，叫我領路來此，特先來報知。

伊凡　　人在那裏？

王大　　在後邊，快要到了。

　　　　　　（秋水上）

秋水　　哦！密司伊！好久不會了！

伊凡　　（驚疑）怎麼你能來此！

秋水　　（唱）

　　　看見你給南君的信，

　　　　　（119）

　　　　　知道她為我斷病，

　　　　　於是來這兒問訊，

　　　　　渡河越嶺，

　　　　　夜宿曉行，

伊母　　這是誰呀？

伊凡　　這就是秋水秋哥哥。

秋水　　一路我心怦怦驚，

　　　　　若見她的離魂影，

　　　　　若聞她嚶泣嚶嚶，

　　　　　為負多情傷我心，

　　　　　我心已碎難分明，

伊凡　　（嘆息）可是你的多情，再也不能使她還

　　　　魂重活在人間了。

秋水　　她怎麼病呢？

伊凡　　　　（唱）

　　　　　聞你另有所愛的音訊，

　　　　　　　（120）

寄書又不見囘書，

於是慊慊成病，

再勸她也不聽，

夢中常呼你的姓名，

若有所驚，

醒來雙淚濕衣襟，

喃喃自語聽不分明，

眞耶夢耶不足信，

情耶幻耶無所憑。

秋水 (着急)實在無有這事，不知你們從那兒
得來的消息！至於信呢，也一封沒有收
到。

伊凡 有一軍人自你那裏來，說你已經訂婚P
氏。——如今姊姊死了，還有什麼話說
呢？眞也罷，假也罷，但憑你問心無媿
得了！

(121)

秋水　　她臨死時說了什麼話呢？

伊凡　　　　（唱）

她曾寫了一封信，

說你不是薄倖，

自然也不說你多情，

　　　（拿信給他）（秋水看信）

暗說你辜負了一片心，

要這紫絹兒是何因？

有甚佳盟？

她最後致囑一聲：

不還紫絹兒不成。

伊母　　凡兒！我心裏實在難過，不能停留在這

裏了，不如囘去罷。

秋水　　她是你母親麼？

伊凡　　是的，阿娘！這就是秋水秋哥哥！

秋水　　（向伊母致敬禮）未先請安，還請寬恕。

（122）

| 伊母 | 一同回去休息罷，想你一路也勞倦了。 |
| 秋水 | 請先回。 |
| 伊凡 | 客氣麼？一同回去罷。 |
| 秋水 | 不，請先回。 |

伊母　　　（唱）

空孤負你聰明，
面今埋骨在青山青，

母凡　幾番回首望頻頻，
犹聞你嗚咽音，
似訴不平。

伊凡　　　（唱）

埋骨青山雖有幸，
可知吾姊不甘心！

母凡　幾番回首望頻頻，
犹聞你嗚咽音，
似訴不平。

**(123)**

伊母　　王大！等會兒你和秋先生一同囘來罷！

王大　　是！

　　　　　（伊母伊凡下）

秋水　　（走至墳前）

　　　　（唱）

我雖欲表我的心，

但也訴不分明，

你若有靈，

當知我滄海曾經，

千山登臨，

風餐露宿來問訊，

那知一面也未能，

你已作陳死人，

再不得携手話知音，

再不得並肩立花影，

一例的傷情，

（124）

遺恨古今！

秋水　(放聲大哭)(將紫絹兒取出)啊啊！人亡物在，

何以爲情！——她臨死前不是說要還這

絹兒麼？啊啊！同生同死之盟，夫豈能

忘！且將這絹兒先爲殉葬，從此把情字

埋在青山也罷。(將紫絹兒埋在墳前)(哭)

　(唱)

有而今，

有當初，

有當初，

有而今，

且把絹兒殉我情，

不知你在泉下可甘心？

泉路冷冷清清，

覓覓尋尋，

茫茫生死兩無憑。

　　　(125)

秋水　　　（哭）（狀如瘋狂）

　　　　　　（唱）

　　　　本來死和生，

　　　　猶如醉與醒，

　　　　任死死生生總無情，

　　　　便醉醉醒醒也無因，

　　　　而眞眞假假更無憑。

　　　　天地不諒我的心！

　　　　問一聲，

　　　　你魂可安甯？

　　　　望這青山有靈，

　　　　爲你招魂何處尋？

　　　　只青山無語亦冥冥！

王大　　秋先生！夕陽已下山了，我們早早囘去

　　　罷。

秋水（若未聞見）（坐在墳前，執筆答書。）

　　　　　　（12）

伊妹：

相逢恨晚，各自心傾。造物妬情，可憐分手！夜夜望月，月在天涯；——人在天涯。所謂相思滋味苦到心頭。北國雁至，南天燕來，都未帶有情書，不知消息，懸懸於心，宵不成夢。何時攜手，重話相思？未免有情，不禁惘惘！偶閱疑詞，倉皇上道，一路看三春錦繡一片，更撩人愁思滿腹，誰與商量？知病中憔悴，怨煞情多。所謂福淺，一見無緣！搔首問天，待吾情薄，夫豈心甘，今已埋骨青山，青山無語，誰爲招魂？君若有靈，能無恨恨！天地無情，我獨有情，願爲情死，不肯偷生。此時我心已碎，猶恐不諒，請將此心剜出，葬於墓前，

(127)

歡敘不遠，不復絮絮。

秋水手書

（秋水起身）

秋水　　你有取燈兒麼？

王大　　有！（將取燈兒送給他）

秋水　　（立在墳前，朗誦此書後焚之）（哭）

（唱）

男兒恥居薄倖名，

今何幸，

慷慨殉情，

天長地久有時盡，

此情鍾在青山靈，

青山千古長青青！

秋水　　（哭）（四顧彷徨）伊妹妹，伊妹妹！你難道

不知道我的心麼？啊，你已埋骨青山，

我無論如何的說我不是薄倖之人，你雖

（128）

有靈，再也不能相信我了！還說什麼呢？還說什麼呢？（哭）啊，你還不相信我麼？我把心剜出來給你罷。（一刀下去，血流如注，倒地）

王大　　（奔來）（奪刀）秋先生！秋先生！……

（幕閉）

《129》